¡*Así se dice!*

Glencoe Spanish 3

Workbook and Audio Activities

Conrad J. Schmitt

McGraw Hill Glencoe

The McGraw·Hill Companies

 Glencoe

Send all inquiries to:
Glencoe/McGraw-Hill
8787 Orion Place
Columbus, OH 43240-4027

ISBN: 978-0-07-888395-8
MHID: 0-07-888395-4

Printed in the United States of America.

5 6 7 8 9 10   WDQ   14 13 12 11 10

Contenido

Nombre _____ Fecha _____

En casa y en clase

Vocabulario

A Escribe una lista de los cuartos de una casa.

_____

_____

_____

_____

B Escribe una descripción corta de una casa.

_____

_____

_____

_____

C Escribe una lista de cosas que haces en la escuela.

_____

_____

_____

_____

D Escribe una lista de cosas que haces después de las clases.

_____

_____

_____

_____

E Corrige las frases falsas.

1. Los alumnos enseñan y los profesores aprenden.

_____

2. Los alumnos que estudian mucho sacan (reciben) notas malas.

_____

3. Hablamos inglés en la clase de español.

_____

4. Vamos a la escuela por la tarde y regresamos a casa por la mañana.

_____

5. Ellos preparan la comida en la sala y ven la televisión en la cocina.

_____

6. Una alumna levanta la mano cuando el profesor contesta la pregunta.

_____

7. Los alumnos que viven lejos de la escuela van a la escuela a pie.

_____

8. Los alumnos van al café antes de las clases.

_____

F Usa cada expresión en una frase original.

1. antes de

_____

2. durante

_____

3. después de

_____

G Haz una pregunta.

1. La alumna levanta *la mano.*

_____

2. *La alumna* levanta la mano.

_____

3. La alumna levanta la mano *cuando tiene una pregunta.*

_____

4. La alumna levanta la mano *porque tiene una pregunta.*

_____

5. *José y su hermano* ponen la mesa.

_____

6. Ponen la mesa *en el comedor.*

_____

7. José va *a la cocina.*

_____

8. En la cocina busca *una cuchara.*

_____

H Escribe cinco preguntas sobre la frase más abajo. Usa palabras interrogativas.

Las muchachas salen de casa por la mañana y van a la escuela a pie.

1. _____

2. _____

3. _____

4. _____

5. _____

Gramática

Presente de los verbos regulares e irregulares

A Completa con la forma apropiada del verbo.

1. Tú _____ mucho en clase y _____ mucho. (hablar, aprender)

2. Ellos no _____ café y no _____ pescado. (beber, comer)

3. En la clase de español nosotros _____, _____, _____ y _____ mucho. (escuchar, hablar, leer, escribir)

4. Yo _____ en la ciudad pero mis abuelos _____ en las afueras. (vivir, vivir)

5. Los alumnos _____ sus materiales escolares en su mochila cuando _____ a la escuela. (poner, ir)

6. José y yo _____ a la misma escuela pero él _____ a la escuela a pie y yo _____ el bus escolar. (asistir, ir, tomar)

B Cambia a la forma de **yo.**

1. Vamos ahora.

_____

2. Estamos bien.

_____

3. Somos alumnos.

_____

4. Conocemos a José.

_____

5. Sabemos la respuesta.

_____

6. Salimos ahora.

_____

7. No hacemos nada.

_____

8. Conducimos el carro.

_____

C Forma frases.

1. yo / ir / escuela / con / amigos

_____

2. amigos / y yo / asistir / mismo / escuela

_____

3. yo / estudiar / español / y / hermano / estudiar / francés

_____

4. cursos / ser / interesantes

_____

5. yo / recibir / y / enviar / mucho / correos electrónicos

_____

D Completa las tablas.

	hablar	leer	asistir
yo			
nosotros		leemos	
tú	hablas		
ustedes			asisten
él		lee	
ellas	hablan		

	hacer	conocer	ser
yo			
nosotros	hacemos		
tú		conoces	
ustedes	hacen		
ella		conoce	
ellos			son

Integración

¡A escribir más!

A En un párrafo, describe un día en la escuela.

_____

_____

_____

_____

_____

_____

B En un párrafo, habla de lo que haces después de las clases.

_____

_____

_____

_____

_____

_____

C En un párrafo, habla de tu casa y de lo que haces en casa.

_____

_____

_____

_____

_____

_____

D En un párrafo, describe todo lo que haces con tu computadora. Si quieres, puedes incluir tu móvil también.

_____

_____

_____

_____

_____

_____

_____

_____

Deportes y rutinas

Vocabulario

A Escribe cinco palabras o expresiones sobre el fútbol.

1. _____
2. _____
3. _____
4. _____
5. _____

B Escribe cinco palabras o expresiones sobre el béisbol.

1. _____
2. _____
3. _____
4. _____
5. _____

C Escribe cinco palabras o expresiones sobre el básquetbol.

1. _____
2. _____
3. _____
4. _____
5. _____

D Escoge uno de los equipos deportivos de tu escuela. Describe al equipo.

_____
_____
_____
_____
_____

Nombre _____ **Fecha** _____

E Parea los contrarios.

1. ___ temprano
2. ___ por debajo de
3. ___ empezar
4. ___ dobles
5. ___ acostarse
6. ___ el jugador
7. ___ despertarse

a. levantarse
b. tarde
c. el espectador
d. terminar
e. dormirse
f. por encima de
g. individuales

F Parea.

1. ___ cepillarse
2. ___ lavarse
3. ___ vestirse
4. ___ despertarse
5. ___ levantarse
6. ___ acostarse
7. ___ sentarse

a. temprano por la mañana
b. después de un día largo
c. los dientes
d. enseguida
e. la cara
f. a la mesa
g. para la escuela

G Prepara un juego. Escribe ocho frases sobre los deportes. Unas frases pueden ser falsas y otras verdaderas. Luego cambia tu juego con el de un(a) compañero(a). A ver quién sale mejor en identificar las frases falsas.

1. _____
2. _____
3. _____
4. _____
5. _____
6. _____
7. _____
8. _____

Gramática

Presente de los verbos de cambio radical

A Completa.

1. Many verbs in the present tense that have the vowel _____ in the stem of the infinitive change the _____ to _____ in all conjugated forms except with the subject _____.

2. Likewise, many verbs in the present tense that have the vowel _____ in the stem of the infinitive change the _____ to _____ in all conjugated forms except with the subject _____.

B Cambia a **nosotros.**

1. Empiezo ahora.

_____

2. Nunca pierdo.

_____

3. No quiero.

_____

4. Lo siento.

_____

5. Lo prefiero.

_____

6. Vuelvo enseguida.

_____

7. No puedo ahora.

_____

8. No duermo bastante.

_____

C Completa con la forma apropiada del verbo.

1. Ella _____ ahora y nosotros _____ mañana. (comenzar)

2. Yo _____ ir y tú _____ ir también. (querer)

3. Ellos lo _____ así pero tú lo _____ de otra manera. (preferir)

4. Tú lo _____ pero ellos no lo _____. (devolver)

5. Nosotros _____ pero ustedes no _____. (poder)

6. ¿Por qué no _____ (tú) si yo _____? (jugar)

Verbos reflexivos

D Contesta.

1. ¿A qué hora te despiertas?

   _____

2. ¿A qué hora te levantas?

   _____

3. ¿Cuándo te lavas las manos?

   _____

4. ¿Cuándo te sientas a la mesa en el comedor?

   _____

5. ¿Cuándo te cepillas los dientes?

   _____

6. ¿A qué hora te acuestas?

   _____

E Cambia a **nosotros**.

1. Me despierto.

   _____

2. Me siento.

   _____

3. Me acuesto.

   _____

4. Me duermo enseguida.

   _____

F Completa con la palabra apropiada.

1. Yo me lavo _____ cara y _____ manos.
2. Ellos se ponen _____ suéter.
3. Ella se cepilla _____ dientes.
4. ¿Te lavas _____ pelo todos los días?

G Completa.

1. Yo voy a levantarme y él también _____.

2. Ellos van a acostarse y tú también _____.

3. Ustedes van a sentarse aquí y yo _____ allí.

4. Voy a lavarme las manos y tú también _____ las manos.

H Completa la tabla.

	querer	volver	acostarse	sentarse
nosotros	_____	_____	_____	_____
yo	_____	_____	me acuesto	_____
tú	quieres	_____	_____	_____
él	_____	_____	_____	se sienta
ellos	_____	_____	_____	_____
ustedes	_____	vuelven	_____	_____

Integración

¡A escribir más!

A En un párrafo, describe un buen partido de fútbol.

_____

_____

_____

_____

_____

B En un párrafo, describe uno o dos equipos de tu escuela.

_____

_____

_____

_____

_____

C En un párrafo, describe un día en la vida de un(a) amigo(a).

_____

_____

_____

_____

_____

D En un párrafo, describe un día típico en tu vida.

_____

_____

_____

_____

_____

REPASO
C

Vacaciones

Vocabulario

A Categoriza las palabras.

	avión	tren	ambos
1. la pista	☐	☐	☐
2. la vía	☐	☐	☐
3. el andén	☐	☐	☐
4. la puerta de salida	☐	☐	☐
5. la tarjeta de embarque	☐	☐	☐
6. el boleto	☐	☐	☐
7. la pantalla de llegadas y salidas	☐	☐	☐
8. la ventanilla	☐	☐	☐
9. el revisor	☐	☐	☐
10. el asistente de vuelo	☐	☐	☐

B Prepara una lista de cosas que debes tener cuando vas a la playa.

_____

_____

_____

C Prepara una lista de cosas que debes llevar a una estación de esquí.

_____

_____

_____

D Completa con una palabra apropiada.

1. Juan y sus amigos hicieron un _____ a Puerto Rico.

2. Pasaron unos días en la _____ donde nadaron en el

_____ y _____ en el agua.

3. Ellos se sentaron en la _____ y tomaron el sol.

4. Ellos nadaron también en la _____ del hotel.

5. Para _____ en el agua es necesario tener esquís

_____.

E Escoge para completar cada frase.

1. Hay (pistas, picos) para los principiantes y para los expertos.

2. Los esquiadores llevan (zapatos, botas).

3. El esquí es un deporte de (invierno, verano).

4. Cuando bajan la pista los esquiadores usan (bastones, balones).

5. Ellos subieron la montaña en (el telesilla, el sillón).

F Da otra palabra que significa la misma cosa.

1. la alberca _____

2. el bañador _____

3. la ventanilla _____

4. la estación de tren _____

5. el boleto _____

6. las gafas _____

7. una crema _____

8. el pasabordo _____

Gramática

Pretérito de los verbos regulares

A Completa con la terminación apropiada para el pretérito.

1. Yo lo mir_____.

2. Ellos esqui_____ conmigo.

3. Nosotros sub_____ en el telesilla y baj_____ la pista para principiantes.

4. ¿Com_____ (tú) algo después de esquiar?

5. ¿A qué hora volv_____ ustedes a casa?

6. ¿Tom_____ ustedes el tren o el bus?

7. Yo volv_____ en tren pero Carlos tom_____ el bus porque va más cerca de su casa.

B Forma frases originales en el pretérito.

1. yo / ver

   _____

2. yo / hablar

   _____

3. ella / subir

   _____

4. él / bajar

   _____

5. nosotros / salir

   _____

6. nosotros / regresar

   _____

7. tú / comprender

   _____

8. tú / escuchar

   _____

9. ellos / volver

   _____

10. ellos / llegar

    _____

C Escribe con el sujeto nuevo.

1. Él llegó. Yo _____.

2. Yo jugué. Ella _____.

3. Yo empecé. Él _____.

4. Yo lo leí. Ella lo _____.

Pretérito de los verbos irregulares

D Completa con el pretérito.

1. Yo lo _____ pero no lo _____ él. (hacer)

2. Nosotros _____ pero ellos no _____. (venir)

3. Tú lo _____ pero nadie más lo _____. (saber)

4. Ellos _____ por el parque y nosotros _____ por el centro comercial. (andar)

5. Él _____ el suyo en su maleta y yo _____ el mío en mi mochila. (poner)

6. Ellos _____ y tú no _____; ¿por qué? (estar)

E Cambia al plural.

1. Ella lo dijo.

   _____

2. Él no lo tradujo.

   _____

3. El muchacho lo leyó.

   _____

4. El ingeniero lo construyó.

   _____

F Cambia al pretérito.

1. Es él.

_____

2. Yo voy también.

_____

3. ¿Van juntos?

_____

4. Es presidente.

_____

5. Vamos a la estación de esquí.

_____

Integración

¡A escribir más!

A En un párrafo, describe un día en la playa.

_____

_____

_____

_____

B En un párrafo, describe un día en una estación de esquí.

_____

_____

_____

_____

C En un párrafo, describe un viaje en tren.

_____

_____

_____

_____

_____

D En un párrafo, describe un viaje en avión.

_____

_____

_____

_____

_____

WORKBOOK
Repaso C **R.21**

De compras y fiestas

Vocabulario

A Expresa de otra manera.

1. Ella siempre iba al *camposanto*.

_____

2. La fiesta era en honor de sus parientes *muertos*.

_____

3. Muchos llevaban *máscaras*.

_____

4. En el mercado iban de un *tenderete* a otro.

_____

5. Ellos comían *bizcochos*.

_____

B Escribe tantos vegetales posibles.

_____

_____

_____

C Escribe tantas frutas posibles.

_____

_____

_____

D Completa con una palabra apropiada.

1. Hay muchas _____ en un centro comercial.

2. El muchacho lleva una _____ y la muchacha lleva una blusa.

3. El muchacho lleva _____, no una falda.

4. José se pone una camisa. Pero no le _____ bien. Es demasiado grande. Él necesita una _____ más pequeña.

5. Los _____ son un tipo de zapato. ¿Sabes qué _____ calzas?

E Escribe tantas prendas de vestir (artículos de ropa) posibles.

_____

_____

_____

Gramática

El imperfecto

A Completa con el imperfecto.

1. Él _____ español. (aprender)

2. Él siempre _____ programas de televisión en español. (mirar)

3. Yo no _____ hambre. (tener)

4. Ellos _____ en Madrid. (vivir)

5. Su padre _____ allí. (trabajar)

6. Nosotros siempre _____ en nuestro restaurante favorito. (comer)

7. El mesero nos _____ muy buen servicio. (dar)

8. Yo nunca _____ lo que ellos _____. (entender, decir)

9. Tú _____ donde nosotros _____, ¿no? (saber, vivir)

10. Yo _____ y ustedes _____. (volver, salir)

B Da la forma del imperfecto.

1. soy _____

2. voy _____

3. veo _____

4. vamos _____

5. vemos _____

6. somos _____

Interesar, aburrir, gustar

C Expresa de otra manera según el modelo.

MODELO **Aprecio los deportes.** →
Me gustan los deportes.

1. José aprecia los deportes.

_____

2. Apreciamos los deportes.

_____

3. ¿Aprecias los deportes?

_____

4. Aprecio mucho el arte.

_____

5. ¿Ustedes aprecian el arte también?

_____

D Completa.

1. A mí _____ gust_____ el flan.
2. A Joselito _____ gust_____ las galletas.
3. A nosotros _____ gust_____ la carne pero nos gust_____ más los mariscos.
4. A ti _____ gust_____ las frutas.
5. A ellos _____ gust_____ el café pero no _____ gust_____ las bebidas dulces.

E Escribe tres cosas que te interesan y tres que te aburren.

1. _____
2. _____
3. _____
4. _____
5. _____
6. _____

Integración

¡A escribir más!

A En un párrafo, describe un mercado indígena.

_____

_____

_____

_____

_____

B En un párrafo, describe una tienda de ropa.

_____

_____

_____

_____

_____

C En un párrafo, describe uno de tus días festivos favoritos.

_____

_____

_____

_____

Ciudad y campo

Vocabulario

A Da otra palabra.

1. un área urbana y metropolitana _____

2. los que andan por la calle _____

3. lugar donde cruzan estos la calle _____

4. donde dos calles se encuentran _____

5. una luz que controla la circulación del tráfico _____

6. una fila _____

7. una finca _____

8. zonas rurales _____

9. una carretera grande _____

10. pasar otro vehículo _____

B Da el contrario.

1. derecho _____

2. rápido _____

3. mucha gente _____

4. disponible _____

C Escribe cinco palabras que tienen que ver con una ciudad.

1. _____

2. _____

3. _____

4. _____

5. _____

WORKBOOK
Repaso E   **R.27**

D Escribe cinco palabras que tienen que ver con el campo.

1. _____

2. _____

3. _____

4. _____

5. _____

E Usa cada palabra en una frase original.

1. la esquina

_____

_____

2. cruzar

_____

_____

3. el semáforo

_____

_____

4. cultivar

_____

_____

5. el campesino

_____

_____

Gramática

Pronombres de complemento directo

A Contesta usando pronombres de complemento.

1. ¿Pagaste el peaje?

   _____

2. ¿Adelantaste el otro carro?

   _____

3. ¿Esperaron los pasajeros el autobús?

   _____

4. ¿Trajiste las llaves del carro?

   _____

5. ¿Compraron ellos los boletos?

   _____

6. ¿Vieron ustedes la película?

   _____

7. ¿Te invitó Carlos a ir al cine?

   _____

8. ¿Viste a tus amigos en el cine?

   _____

El pretérito y el imperfecto

B Escribe frases en el pretérito o el imperfecto.

1. yo / ir / ayer

   _____

2. nosotros / ir / todos los días

   _____

3. él / lo / ver / una vez

   _____

4. ellos / lo / ver / muy a menudo

   _____

5. tú / llegar / ayer

   _____

6. ustedes / siempre / llegar / mismo / hora

C Completa con el pretérito o el imperfecto.

1. Las hermanas _____ a caballo cuando

   _____ sus amigas. (andar, llegar)

2. Ellos se _____ del caballo cuando

   _____ a sus amigas. (bajar, ver)

3. Sus amigas las _____ con frecuencia pero no las

   _____ el año pasado. (visitar, visitar)

4. Cada día un grupo de campesinos _____ la tierra mientras

   otros les _____ de comer a los animales. (cultivar, dar)

5. Yo _____ cuando _____ el carro.
   (trabajar, entrar)

D Forma frases en el pasado.

1. gente / cruzar / calle / en / esquina

   _____

2. gente / esperar / autobús / parada

   _____

3. no / haber / asientos / disponible

   _____

4. autobús / completo

   _____

Integración

¡A escribir más!

A En un párrafo, describe una ciudad.

_____

_____

_____

_____

B En un párrafo, describe un día que pasaste en la ciudad.

_____

_____

_____

_____

C En un párrafo, describe el campo.

_____

_____

_____

_____

D En un párrafo, describe un día que pasaste en el campo.

_____

_____

_____

_____

WORKBOOK
Repaso E   **R.31**

El hotel y el restaurante

Vocabulario

A Completa con una palabra apropiada.

1. Los huéspedes van a la _____ cuando llegan a un hotel.

2. Necesitan su _____ para poder abrir la puerta de su cuarto.

3. Deshacen la maleta y _____ su ropa en el

   _____.

4. En el hotel la _____ hace la cama.

5. Ella cambia las toallas _____ por toallas

   _____.

B Prepara una lista de todos los comestibles que recuerdas.

_____

_____

_____

C Prepara una lista de las maneras en que se puede preparar (elaborar) las comidas.

_____

_____

_____

D Prepara una lista de expresiones que necesitas en un restaurante.

_____

_____

_____

_____

E Prepara una lista de palabras que necesitas en un hotel.

_____

_____

_____

_____

_____

F Da una palabra relacionada.

1. la recepción _____

2. colgar _____

3. la limpieza _____

4. la mesa _____

5. la comida _____

6. la camarera _____

Gramática

Dos complementos en una frase

A Completa usando pronombres.

1. La profesora les explicó la lección a los alumnos.

   La profesora _____.

2. Ella le enseñó la regla a Teresa.

   Ella _____.

3. Ella les devolvió los exámenes a los alumnos.

   Ella _____.

4. La profesora le leyó la poesía a la clase en voz alta.

   La profesora _____.

B Contesta usando pronombres.

1. ¿Te dio las llaves el recepcionista?

   _____

2. ¿Te dio la factura el cajero?

   _____

3. ¿Le diste tu número de confirmación a la recepcionista?

   _____

4. ¿Te dio el menú el mesero?

   _____

5. ¿Le devolviste el menú al mesero después de leerlo?

   _____

6. ¿Quién le pidió la cuenta al mesero?

   _____

7. ¿Le dejaste la propina para el camarero?

   _____

8. ¿Les devolvió a ustedes una copia de la cuenta el mesero?

   _____

El presente perfecto

C Contesta según el modelo.

MODELO —¿**Cuándo le hablaste a Juan?**

—¿**A Juan? Le he hablado esta mañana.**

1. ¿Cuándo llamaste a Elena?

_____

2. ¿Cuándo viste a Paco?

_____

3. ¿Cuándo se lo devolviste a César?

_____

4. ¿Cuándo invitaste a Carolina?

_____

D Forma frases con **nunca**.

1. yo / nunca / estar / México

_____

2. ellos / nunca / hacer / tal / viaje

_____

3. nosotros / nunca / andar / por / país

_____

4. tú / no / tomar / nunca / un avión

_____

5. ella / nunca / freír / pescado

_____

6. ustedes / nunca / romper / promesa

_____

7. tú / nunca / les / escribir / carta

_____

Haz una frase original con el presente perfecto y cada una de las expresiones.

1. casi nunca

_____

2. en mi vida

_____

3. todavía no

_____

4. jamás

_____

5. hasta ahora

_____

Integración

¡A escribir más!

A En un párrafo, describe una estadía en un hotel.

_____

_____

_____

_____

_____

_____

_____

B En un párrafo, describe una experiencia en un restaurante.

_____

_____

_____

_____

_____

_____

_____

En casa y en clase

Vocabulario

Actividad A Listen and repeat.

Actividad B Listen and choose.

	sí	no
1.	☐	☐
2.	☐	☐
3.	☐	☐
4.	☐	☐
5.	☐	☐
6.	☐	☐

Actividad C Listen and choose.

1. a   b   c
2. a   b   c
3. a   b   c
4. a   b   c
5. a   b   c
6. a   b   c

Conversación

Actividad A Listen.

Actividad B Listen and choose.

	sí	no
1.	☐	☐
2.	☐	☐
3.	☐	☐
4.	☐	☐
5.	☐	☐
6.	☐	☐
7.	☐	☐

Gramática

Actividad A Listen and choose.

1. a   b   c
2. a   b   c
3. a   b   c
4. a   b   c
5. a   b   c
6. a   b   c
7. a   b   c
8. a   b   c

Actividad B Listen and answer.

Actividad C Listen and answer.

Actividad D Listen and answer.

Deportes y rutinas

Vocabulario

Actividad A Listen and repeat.

Actividad B Listen and choose.

1. a   b
2. a   b
3. a   b
4. a   b

Actividad C Listen and choose.

	sí	no
1.	☐	☐
2.	☐	☐
3.	☐	☐
4.	☐	☐
5.	☐	☐
6.	☐	☐
7.	☐	☐
8.	☐	☐
9.	☐	☐

Actividad D Listen and answer.

Conversación

Actividad A Listen.

Actividad B Listen and choose.

	sí	no
1.	☐	☐
2.	☐	☐
3.	☐	☐
4.	☐	☐
5.	☐	☐

Gramática

Actividad A Listen and speak.

Actividad B Listen and answer.

Actividad C Listen and choose.

1. a b c
2. a b c
3. a b c
4. a b c
5. a b c
6. a b c

Actividad D Listen and choose.

	reflexivo	no reflexivo
1.	☐	☐
2.	☐	☐
3.	☐	☐
4.	☐	☐
5.	☐	☐
6.	☐	☐
7.	☐	☐
8.	☐	☐

Actividad E Listen and answer.

Vacaciones

Vocabulario

Actividad A Listen and repeat.

Actividad B Listen and answer.

Actividad C Listen and choose.

	sí	no
1.	☐	☐
2.	☐	☐
3.	☐	☐
4.	☐	☐
5.	☐	☐
6.	☐	☐

Actividad D Listen and choose.

	tren	avión
1.	☐	☐
2.	☐	☐
3.	☐	☐
4.	☐	☐
5.	☐	☐
6.	☐	☐
7.	☐	☐
8.	☐	☐

Conversación

Actividad A Listen.

Actividad B Listen and choose.

	sí	no
1.	☐	☐
2.	☐	☐
3.	☐	☐
4.	☐	☐
5.	☐	☐
6.	☐	☐

Gramática

Actividad A Listen and choose.

	presente	pretérito
1.	☐	☐
2.	☐	☐
3.	☐	☐
4.	☐	☐
5.	☐	☐
6.	☐	☐
7.	☐	☐
8.	☐	☐
9.	☐	☐
10.	☐	☐

Actividad B Listen and answer.

Actividad C Listen and choose.

1. a b c
2. a b c
3. a b c
4. a b c
5. a b c

De compras y fiestas

Vocabulario

Actividad A Listen and repeat.

Actividad B Listen and choose.

	sí	no
1.	☐	☐
2.	☐	☐
3.	☐	☐
4.	☐	☐
5.	☐	☐
6.	☐	☐
7.	☐	☐

Actividad C Listen and choose.

	sí	no
1.	☐	☐
2.	☐	☐
3.	☐	☐
4.	☐	☐
5.	☐	☐
6.	☐	☐
7.	☐	☐

Conversación

Actividad A Listen.

Actividad B Listen and choose.

	sí	no
1.	☐	☐
2.	☐	☐
3.	☐	☐
4.	☐	☐
5.	☐	☐
6.	☐	☐

Gramática

Actividad A Listen and answer.

Actividad B Listen and answer.

Actividad C Listen and answer.

Actividad D Listen and answer.

Ciudad y campo

Vocabulario

Actividad A Listen and repeat.

Actividad B Listen and choose.

	sí	no
1.	☐	☐
2.	☐	☐
3.	☐	☐
4.	☐	☐
5.	☐	☐
6.	☐	☐
7.	☐	☐
8.	☐	☐

Actividad C Listen and choose.

	sí	no
1.	☐	☐
2.	☐	☐
3.	☐	☐
4.	☐	☐
5.	☐	☐

Conversación

Actividad A Listen.

Actividad B Listen and choose.

	sí	no
1.	☐	☐
2.	☐	☐
3.	☐	☐
4.	☐	☐
5.	☐	☐

Gramática

Actividad A Listen and speak.

Actividad B Listen and answer.

Actividad C Listen, look, and choose.

1. el otro día   mucho
2. ayer   todos los días
3. una vez   de vez en cuando
4. anoche   con frecuencia
5. anoche   casi todas las noches
6. el verano pasado   cada verano
7. el otro día   cada mañana a la misma hora
8. una vez   siempre que podía

Actividad D Listen and answer.

El hotel y el restaurante

Vocabulario

Actividad A Listen and repeat.

Actividad B Listen and choose.

	sí	no
1.	☐	☐
2.	☐	☐
3.	☐	☐
4.	☐	☐
5.	☐	☐
6.	☐	☐
7.	☐	☐
8.	☐	☐

Conversación

Actividad A Listen.

Actividad B Listen and choose.

	sí	no
1.	☐	☐
2.	☐	☐
3.	☐	☐
4.	☐	☐
5.	☐	☐
6.	☐	☐
7.	☐	☐
8.	☐	☐

Gramática

Actividad A Listen and choose.

    1. a   b   c

    2. a   b   c

    3. a   b   c

    4. a   b   c

    5. a   b   c

    6. a   b   c

Actividad B Listen and answer.

Actividad C Listen and answer.

Cocina hispana

Cocina hispana

Vocabulario

A Insert the correct verb infinitive and choose the correct completion.

la parrilla   **pedacitos**   **la sartén**   **la cazuela**   **la olla**   **rebanadas**

1. _____ las papas fritas en _____

2. _____ el agua en _____

3. _____ el pollo en _____

4. _____ la salsa en _____

5. _____ el pepino en _____

6. _____ el ajo en _____

B Identify each item.

1. _____

2. _____

3. _____

4. _____

5. _____   6. _____

7. _____   8. _____

C Complete with an appropriate word.

1. _____ o _____ de pollo

2. _____ de pan

3. _____ de ternera

4. _____ de jamón

5. _____ de cerdo

D Give the items being described.

1. redonda y de color blanco o amarillo

_____

2. elongada y de color naranja; se pela

_____

3. de color verde; se pela y se usa frecuentemente en una ensalada (hay dos respuestas)

_____

4. bastante pequeño; generalmente de color blanco; se pela y luego se corta en pedacitos; se usa en muchas recetas para darles sabor a muchos platos

_____

E Make the following lists.

1. comestibles que se puede freír

_____

_____

_____

_____

_____

2. comestibles que puedes o debes poner en el congelador

_____

_____

_____

3. comestibles que puedes hervir

_____

_____

_____

4. comestibles que puedes asar

_____

_____

_____

_____

_____

F Write a sentence about each illustration.

1. _____

_____

2. _____

_____

3. _____

_____

4. _____

_____

5. _____

_____

G Write a description of a kitchen and some activities that take place there.

_____

_____

_____

_____

_____

_____

_____

Gramática

El subjuntivo

A Complete.

	presente del indicativo él…..	presente del subjuntivo que él….
1. hablar	_____	_____
2. cocinar	_____	_____
3. preparar	_____	_____
4. comer	_____	_____
5. beber	_____	_____
6. leer	_____	_____
7. vivir	_____	_____
8. escribir	_____	_____

B Complete.

	presente del indicativo yo….	presente del subjuntivo que yo….
1. salir	_____	_____
2. hacer	_____	_____
3. poner	_____	_____
4. traer	_____	_____
5. tener	_____	_____
6. decir	_____	_____
7. conducir	_____	_____

C Complete the following sentences with the correct form of the indicated verbs.

1. Sus padres quieren que él _____. (estudiar)

_____. (aprender)

_____. (vivir con ellos)

_____. (no salir)

_____. (tener amigos)

2. Nuestro profesor quiere que nosotros _____. (escuchar)

_____. (hablar)

_____. (comprender)

_____. (escribir bien)

_____. (hacer tareas)

_____. (ir a clase)

3. Yo quiero que tú _____. (llamar)

_____. (visitar)

_____. (leer la novela)

_____. (salir conmigo)

_____. (saber la verdad)

4. Mis amigos quieren que yo _____. (estar)

_____. (dar una fiesta)

_____. (invitar a todos)

_____. (ir)

_____. (no salir)

D Complete to form three different sentences.

1. Yo quiero que ellos _____.

_____.

_____.

2. Y ellos quieren que yo _____.

_____.

_____.

3. ¿Él quiere que tú _____?

_____?

_____?

4. Y, ¿qué quieres que él _____?

_____?

_____?

5. Nosotros queremos que ustedes _____.

_____.

_____.

6. Y ustedes quieren que nosotros _____.

_____.

_____.

El imperativo formal

A Match the infinitive with the **usted** command form.

1. _____ cocinar   **a.** sirva usted
2. _____ pelar   **b.** añada usted
3. _____ rebanar   **c.** cocine usted
4. _____ comer   **d.** revuelva usted
5. _____ añadir   **e.** coma usted
6. _____ servir   **f.** ponga usted
7. _____ revolver   **g.** pele usted
8. _____ poner   **h.** rebane usted

B Change the **usted** commands in Activity A to the **ustedes** form.

1. _____
2. _____
3. _____
4. _____
5. _____
6. _____
7. _____
8. _____

C Write the following in the negative.

1. Prepare usted la comida.

   _____

2. Lea usted la receta.

   _____

3. Ase las chuletas.

   _____

4. Pique el ajo.

   _____

5. Pele los pepinos.

   _____

6. Fría el pollo.

   _____

D Complete with the correct form of the formal (**usted**) command of the indicated verb.

1. _____ usted la receta. (leer)

2. _____ usted las legumbres. (lavar)

3. _____ usted las latas. (abrir)

4. _____ usted las cebollas. (picar)

5. _____ usted el agua. (hervir)

6. _____ usted el ajo. (añadir)

7. _____ usted las chuletas. (freír)

8. _____ usted los huevos. (revolver)

9. _____ usted la cazuela. (tapar)

E Form sentences as in the model.

MODELO   el pan / cortar en pedazos / rebanar →
No corte el pan en pedazos. Rebánelo.

1. las chuletas / freír / asar

_____

_____

2. las zanahorias / picar / pelar

_____

_____

3. el pollo / asar / freír

_____

_____

4. la olla / tapar / destapar

_____

_____

El imperativo familiar—formas negativas

A Indicate if the sentence is a command or not.

	command	not a command
1. No me hables.	☐	☐
2. No lo preparas.	☐	☐
3. No lo comas.	☐	☐
4. No lo subes.	☐	☐
5. No lo frías.	☐	☐
6. No lo cortes.	☐	☐

B Rewrite in the negative.

1. ¡Habla!

_____

_____

2. ¡Háblame!

_____

_____

3. ¡Compra!

_____

_____

4. ¡Cómpralos!

_____

_____

5. ¡Vende!

_____

_____

6. ¡Véndemelo!

_____

_____

7. ¡Sube!

_____

_____

8. ¡Súbelo!

_____

_____

C Rewrite in the negative.

1. Ponlo aquí.

   _____

   _____

2. Hazlo.

   _____

   _____

3. Dímelo.

   _____

   _____

4. Vete.

   _____

   _____

5. Dámela.

   _____

   _____

Integración

¡A leer más!

A Read the advertisement from a store in Madrid.

B How does the advertisement express the following words?

1. grater

   _____

2. set (of pots)

   _____

3. set (of knives)

   _____

4. aluminum

   _____

5. grill

   _____

6. steel

   _____

7. glass cover

   _____

8. nonstick

   _____

C Answer in Spanish according to the advertisement.

1. ¿Cuántos piezas hay en la batería de cocina?

   _____

   _____

2. ¿Cuántas sartenes hay en el juego? ¿De qué tamaños son?

   _____

   _____

3. ¿Cuántos cuchillos hay en el juego?

   _____

   _____

4. ¿Cuál fue (en euros) el precio original del rallador?

   _____

   _____

5. ¿Cómo son las ollas?

   _____

   _____

Tarea

Una comida hispana

Task You and two friends have decided to prepare a vegetarian Spanish meal for your parents. You have spoken to your Spanish teacher, who recommended some dishes that are simple and easy to prepare. He or she would also like you to present your recipes to the class in Spanish for more practice using what you have learned this year.

How

- To get started, search the web to find the recipes and the steps you will need to follow to prepare:

  - **Aceitunas a la madrileña** for an appetizer

  - **Frijoles (habichuelas) con arroz** for the main course

  - **Flan** for dessert

  - **Café con leche** for the after-dinner beverage

- Use the diagram below to organize the foods you will need and the steps you will follow to create your part of the meal. Add more steps to the diagram if you need to.

- Prepare your presentation for the class in Spanish using as many of the vocabulary words from this chapter as you can. Be sure to check your paragraph for correct grammar, word choice, and spelling.

_____

_____

_____

_____

_____

_____

_____

_____

_____

Cocina hispana

Vocabulario

Actividad A Listen and repeat.

Actividad B Listen and choose.

	correcta	incorrecta
1.	☐	☐
2.	☐	☐
3.	☐	☐
4.	☐	☐
5.	☐	☐
6.	☐	☐
7.	☐	☐
8.	☐	☐
9.	☐	☐
10.	☐	☐

Nombre _____ Fecha _____

Actividad C Listen and choose.

___

___

___

___

___

___

___

___

1.18 ¡Así se dice! Level 3

AUDIO ACTIVITIES
Copyright © by The McGraw-Hill Companies, Inc.

Actividad D Listen and choose.

    1. a   b   c

    2. a   b   c

    3. a   b   c

    4. a   b   c

    5. a   b   c

Actividad E Listen and choose.

	sí	no
1.	☐	☐
2.	☐	☐
3.	☐	☐
4.	☐	☐
5.	☐	☐
6.	☐	☐
7.	☐	☐
8.	☐	☐

Gramática

Actividad A Listen and speak.

Actividad B Listen and answer.

Actividad C Listen and answer.

Actividad D Listen and speak.

Actividad E Listen and answer.

Actividad F Listen and answer.

Actividad G Listen and answer.

Actividad H Listen and speak.

Actividad I Listen and answer.

Actividad J Listen and answer.

Conversación

Actividad A Listen.

Actividad B Listen and choose.

	sí	no		sí	no
1.	☐	☐	5.	☐	☐
2.	☐	☐	6.	☐	☐
3.	☐	☐	7.	☐	☐
4.	☐	☐	8.	☐	☐

Integración

¡A escuchar más!

Actividad A Listen.

Actividad B Listen and choose.

1. a b c
2. a b c
3. a b c
4. a b c
5. a b c

Actividad C Listen and choose.

	sí	no
1.	☐	☐
2.	☐	☐
3.	☐	☐
4.	☐	☐
5.	☐	☐

Repaso cumulativo

Actividad A Listen and choose.

	sí	no		sí	no
1.	☐	☐	4.	☐	☐
2.	☐	☐	5.	☐	☐
3.	☐	☐			

CAPÍTULO

2

¡Cuídate bien!

Workbook and Audio Activities

Nombre _____ Fecha _____

¡Cuídate bien!

Vocabulario ❶

A Identify each part of the body.

1. _____
2. _____
3. _____
4. _____
5. _____
6. _____
7. _____

B Complete with parts of the body you have already learned.

1. No se puede usar las _____ cuando juegas fútbol.

2. Los _____ conectan las manos con el cuerpo.

3. Tenemos cinco _____ en cada mano.

4. Llevo un sombrero en la _____.

5. Llevo zapatos en los _____.

6. Las _____ conectan el cuerpo con el pie.

7. La _____ está en medio de la pierna.

8. No duermo en el estómago, duermo en la _____.

C Indicate if the following statements make sense or not.

	sí	no
1. Es importante que todos hagamos ejercicios para mantenernos en forma.	☐	☐
2. Es importante estirarse antes de hacer muchos ejercicios.	☐	☐
3. Es necesario llevar casco y rodilleras si haces planchas.	☐	☐
4. Mucha gente lleva un buzo cuando hace jogging.	☐	☐
5. Tienes que tener mucha energía para correr en un maratón.	☐	☐
6. Una carrera a campo traviesa es una carrera de corta distancia.	☐	☐
7. El yoga tiene muchos movimientos rápidos.	☐	☐

D Correct any false statements in Activity C.

1. _____

2. _____

3. _____

4. _____

5. _____

6. _____

7. _____

E Complete each sentence with an appropriate word.

1. Los que _____ en línea llevan dos patines y los que hacen el

   _____ usan solamente uno.

2. El yoga es un ejercicio de _____ y movimientos lentos que liberan el

   espíritu de _____.

3. Un corredor reemplaza a otro en una carrera de _____.

4. Una carrera muy larga que tiene muchos participantes es un _____.

5. En el gimnasio muchos hacen _____ y otros _____

   pesas.

F Give a related word.

1. pesar _____

2. la rodilla _____

3. el descanso _____

4. patinar _____

5. respirar _____

6. mover _____

G Use the following words or expressions in an original sentence.

1. casco y rodilleras

_____

2. practicar el yoga

_____

3. hacer jogging

_____

4. correr

_____

5. estirarse

_____

Vocabulario ❷

A Look at the illustration and complete the sentences below using the **banco de palabras**.

sala de emergencia	se cortó	hinchado	muletas
yeso	herida	se rompió	daño

1. Alicia _____ la rodilla.

2. El tobillo de Tomás está _____.

3. Marisa anda con _____.

4–5. Marisa tiene un _____ porque

_____ el pie.

6. El codo de Laura le duele mucho. Tiene una _____ seria.

7. Julián se hizo _____ al hombro.

8. Todos los pacientes están en la _____.

B Give a related word.

1. herir _____

2. dañar _____

3. la hinchazón _____

4. el dolor _____

5. la cama _____

6. socorrer _____

C Complete each sentence with an appropriate word.

1. Un niño se cayó de la bicicleta y se hizo _____.

2. Llamamos a los socorristas y enseguida llegó una _____.

3. Ellos decidieron que el niño se _____ la pierna.

4. Lo pusieron en una _____ y lo llevaron a la
_____ en una ambulancia.

5. En el hospital le tomaron una _____ para determinar si
tenía la pierna quebrada.

6. El ortopédico le acomodó el hueso y lo puso en un
_____.

7. El _____ ayudó al médico.

D Complete with the missing letters.

El niño se ca_____ó y se torció el tobi_____o. Lo pusieron en una cami_____a y lo
      1   2   3

_____evaron al _____ospital donde el cirujano acomodó el _____ueso y lo puso
  4   5   6

en un _____eso.
      7

E Answer about a patient.

1. ¿Por qué tiene el tobillo hinchado?

_____

_____

2. ¿Por qué le tomaron una radiografía?

_____

_____

3. ¿Por qué le tuvieron que reducir el hueso?

_____

_____

4. ¿Por qué tendrá que ir con muletas el niño?

_____

_____

5. ¿Por qué le pone unos puntos el médico?

_____

_____

F Write about an imaginary accident.

_____

_____

_____

_____

_____

Gramática

El subjuntivo con expresiones impersonales

A Complete with the correct form of the indicated verb.

1. Es necesario que nosotros _____. (trabajar)

2. Es necesario que nosotros _____. (ganar dinero)

3. Es necesario que nosotros _____. (aprender mucho)

4. Es necesario que nosotros _____. (recibir notas buenas)

5. Es necesario que nosotros _____. (hacer las tareas)

6. Es necesario que nosotros _____. (tener éxito)

7. Es necesario que nosotros _____. (saber los resultados)

8. Es necesario que nosotros _____. (ir)

9. Es necesario que nosotros _____. (estar)

B Rewrite the sentences in Activity A changing the introduction to **Es importante que tú.**

1. _____

2. _____

3. _____

4. _____

5. _____

6. _____

7. _____

8. _____

9. _____

C Complete with the correct form of the indicated verb.

1. Es mejor que él lo _____. (hacer)

2. Es necesario que nosotros lo _____ mañana. (saber)

3. Es posible que tú no _____. (estar)

4. Es bueno que tú les _____. (hablar)

5. Es difícil que yo lo _____ con ellos. (discutir)

6. Es importante que todo _____ bien. (salir)

D Write sentences as in the model.

MODELO levantar pesos →
No es necesario que ellos levanten pesas.
Es necesario que tú levantes pesas.

1. participar en el maratón
_____

_____

2. correr muchas vueltas
_____

_____

3. hablar con el entrenador
_____

_____

4. hacer planchas
_____

_____

5. ir al gimnasio
_____

_____

E Write an original sentence with each expression. Be sure to use different subjects.

1. es posible que
_____

2. es probable que
_____

3. es imposible que
_____

4. es bueno que
_____

5. es mejor que
_____

6. es importante que
_____

7. es necesario que
_____

¡Ojalá! ¡Quizás! ¡Tal vez!

A Write sentences as in the model.

MODELO   venir →
         —¿Ellos vienen?
         —¡Quizás vengan!
         —¡Ojalá vengan! Quiero verlos.

1. llegar pronto

_____

_____

_____

2. estar

_____

_____

_____

3. pasar tiempo aquí

_____

_____

_____

4. tener tiempo libre

_____

_____

_____

5. no salir

_____

_____

_____

B Write five things that (perhaps) may happen. Introduce each one with **¡Quizás!** or **¡Tal vez!**

1. _____
2. _____
3. _____
4. _____
5. _____

C Write five things that you hope will or will not happen. Introduce each sentence with **¡Ojalá!**

1. _____
2. _____
3. _____
4. _____
5. _____

El subjuntivo de los verbos de cambio radical

A Complete with the correct form of the indicated verb.

1. Es necesario que nosotros _____. (empezar ahora)

2. Es necesario que nosotros _____. (sentarse)

3. Es necesario que nosotros _____. (no perder)

4. Es necesario que nosotros _____. (volver)

5. Es necesario que nosotros _____. (repetir la pregunta)

6. Es necesario que nosotros _____. (pedir un favor)

7. Es necesario que nosotros _____. (dormir más)

B Write sentences as in the model.

MODELO   cerrarlo →
          Quiero que ellos lo cierren, no que tú lo cierres.

1. perderlo

_____

_____

2. encontrarlo

_____

_____

3. sentarse

_____

_____

4. acostarse

_____

_____

5. sentirlo

_____

_____

6. servirlo

_____

_____

C Complete the chart in the present subjunctive.

yo	nosotros	tú	ustedes	él	ellos
pida					
	devolvamos				
		te acuestes			
			duerman		
				pierda	
					sigan

Comparación de igualdad

A Write sentences as in the model.

MODELO   Roberto es alto. Tomás es alto. →
Roberto es tan alto como Tomás.

1. Teresa es inteligente. Las otras son inteligentes.

_____

2. Maïte es atlética. Su hermana es atlética.

_____

3. Alberto es fuerte. Yo soy fuerte.

_____

4. Tú eres prudente. Nosotros somos prudentes.

_____

B Write sentences as in the model.

MODELO   César tiene muchas clases. Timoteo tiene muchas clases. →
César tiene tantas clases como Timoteo.

1. Ella corre muchas vueltas. Yo corro muchas vueltas.

_____

2. Yo tengo tensión. Tú tienes tensión.

_____

3. Ellos hacen ejercicios. Nosotros hacemos ejercicios.

_____

4. Ustedes tienen cuidado. Ellos tienen cuidado.

_____

C Complete the sentences with **tan como** or **tanto como**.

1. Carlos está _____ nervioso _____ Eduardo.

2. Pero Carlos no está _____ enfermo _____
   Eduardo.

3. Carlos no tiene _____ dolor _____ Eduardo.

4. Carlos no tiene _____ fiebre _____ Eduardo.

5. Pero Eduardo se va a curar _____ rápido _____
   Carlos.

6. Eduardo va a tener que guardar cama _____ días
   _____ Carlos.

7. Ahora Eduardo se siente _____ bien _____ Carlos.

8. Carlos está _____ contento _____ Eduardo.

Integración

¡A leer más!

 Read the following selection.

El mejor amigo para salir a correr es… sí, también el perro

Escuchando el chillido de un viento feroz afuera una mañana reciente, trataba de seguir durmiendo. Pero mi labrador de 80 libros—bien despierto—vino a mi cama y pegó su nariz fría contra mi tobillo.

Desde su punto de vista, una tormenta de nieve de abril no es excusa para cancelar nuestra rutina de trotar antes del amanecer. Así que, poco después, estábamos corriendo en medio del hielo y con un sol brillante sobre el lago Michigan.

La experiencia fue estimulante.

Después de décadas de correr con amigos, compañeros de trabajo y parejas, he descubierto que el compañero ideal para correr es el perro.

No son competitivos. La velocidad máxima de uno no es nada al lado de la de los perros, entonces usted nunca trotará demasiado rápido para ellos. Jamás se quejará y mucho menos ridiculizará su lentitud. El único momento en que protestará será cuando usted deje de correr y esa es la clase de estímulo por el que cobran los entrenadores personales.

Hay un creciente aprecio por la compañía a la hora de hacer ejercicio, lo que se refleja en la popularidad de sitios de Internet como <u>exercisefriends.com</u>, que junta a compañeros para actividades atléticas.

Para correr no se necesita de un compañero, pero tras horas sobre un camino, la soledad empieza a tener el sabor del aislamiento. A diferencia de los humanos, por supuesto, los perros no hablan. Pero cualquier corredor que ha tenido compañeros sabe que el silencio no es la peor de las cualidades. Y, contrario a los humanos, los perros no llegan tarde, cancelan ni discuten sobre cuál camino tomar.

Un compañero canino para trotar puede representar beneficios de salud más allá de lo que se logra con la rutina regular de ejercicios. La evidencia científica muestra que tener un perro puede proteger su salud. Una mascota puede reducir la presión arterial, bajar el colesterol y mejorar el estado de ánimo, entre otros beneficios, concluye el sitio de Internet de los Centros para el Control y Prevención de Enfermedades (CDC, por su sigla en inglés).

B Describe based on the information in the article.

    1. el tiempo que hacía

    _____

    2. dónde

    _____

    3. cuándo

    _____

    4. cómo le despertó a su dueño el perro

    _____

C Answer each question.

    1. ¿Por qué razones se considera el perro el compañero ideal para correr?

    _____

    _____

    2. ¿Qué dice el autor del artículo sobre el silencio?

    _____

    3. ¿Cómo pueden las mascotas beneficiar nuestra salud?

    _____

    _____

D Do you have a pet? If not, think of someone who does. Write how you can (or cannot) relate to the information in the article.

_____

_____

_____

_____

_____

Read the following ads about fitness centers.

B Indicate how the ads convey the following expressions.

1. entretenimiento _____

2. se puede nadar _____

3. para niños _____

4. atención médica _____

5. duchas _____

6. escuela para deportes _____

7. parqueo cubierto _____

8. para niños y niñas que tienen más de dos años _____
_____

9. aparatos _____

Tarea

¡Un accidente!

Task Your little brother likes to ride his bicycle and take walks in the park every day after school. Your mother always tells him to be very careful when he crosses the street. But today he wasn't paying attention when he left the house in a hurry to meet his friends and he had an accident on his bike!

Fortunately, he's going to be fine. However, he was supposed to be taking a trip to Mexico with his middle school Spanish class, and his host family will be disappointed that he is not coming. You agree to write a letter in Spanish to his host family on his behalf, explaining what happened to him.

How

- Use the pictures below in order to organize your ideas for the letter.

1.

2.

3.

4.

5.

6.

7.

8.

9.

• Now write the letter to the host family, explaining what happened to your brother and how he is doing. Be sure to check your paragraph for correct grammar, word choice, and spelling.

_____

_____

_____

_____

_____

_____

_____

_____

_____

WORKBOOK

Nombre _____ **Fecha** _____

Vocabulario ❶

Actividad A Listen and repeat.

Actividad B Listen and choose.

1. a   b   c
2. a   b   c
3. a   b   c
4. a   b   c
5. a   b   c

Actividad C Listen and choose.

	sí	no
1.	☐	☐
2.	☐	☐
3.	☐	☐
4.	☐	☐
5.	☐	☐
6.	☐	☐
7.	☐	☐
8.	☐	☐
9.	☐	☐
10.	☐	☐

Actividad D Listen and answer.

Vocabulario ❷

Actividad E Listen and repeat.

Actividad F Listen and choose.

	correcta	incorrecta
1.	☐	☐
2.	☐	☐
3.	☐	☐
4.	☐	☐
5.	☐	☐
6.	☐	☐

Actividad G Listen and choose.

1. a   b   c
2. a   b   c
3. a   b   c
4. a   b   c
5. a   b   c
6. a   b   c

Actividad H Listen and answer.

Gramática

Actividad A Listen and speak.

Actividad B Listen and speak.

Actividad C Listen and speak.

Actividad D Listen and answer.

Actividad E Listen and answer.

Actividad F Listen and answer.

Actividad G Listen and choose.

	igualdad	desigualdad
1.	☐	☐
2.	☐	☐
3.	☐	☐
4.	☐	☐
5.	☐	☐
6.	☐	☐
7.	☐	☐
8.	☐	☐

Actividad H Listen and speak.

Conversación

Actividad A Listen.

Actividad B Listen and choose.

	sí	no
1.	☐	☐
2.	☐	☐
3.	☐	☐
4.	☐	☐
5.	☐	☐
6.	☐	☐
7.	☐	☐
8.	☐	☐

Lectura cultural

Actividad A Listen.

Actividad B Listen and choose.

1. ☐ Hoy en día no hay mucho interés en la salud y la form física.
2. ☐ Es importante hacer ejercicios por lo menos tres veces a la semana.
3. ☐ No hay muchos gimnasios en que hacer ejercicios.
4. ☐ Los parques son muy populares para hacer jogging o correr.
5. ☐ A mucha gente le gusta andar en bicicleta en el parque.
6. ☐ Andar en bicicleta es divertido pero no es una forma buena de ejercicio.
7. ☐ Muchos maratones tienen un propósito benévolo.
8. ☐ El monopatín y el patinaje en línea son muy populares con los jóvenes.
9. ☐ Es casi imposible lastimarte en estas formas de patinaje.
10. ☐ Es importante que lleves casco y rodilleras cuando practicando el patinaje en línea o el monopatín.

Lectura—Un poco más

Actividad A Listen.

Integración

¡A escuchar más!

Actividad A Listen.

Actividad B Listen and choose.

	sí	no
1.	☐	☐
2.	☐	☐
3.	☐	☐
4.	☐	☐
5.	☐	☐
6.	☐	☐
7.	☐	☐

Actividad C Listen and write.

1. _____

2. _____

Actividad D Listen and choose.

1. accidente: sí _____ no _____   hombre _____, mujer _____   edad: _____
   fractura: sí _____ no _____   corte: sí _____ no _____
   brazo _____   pierna _____   tobillo _____   rodilla _____

2. accidente: sí _____ no _____   hombre _____ mujer _____   edad: _____
   fractura: sí _____ no _____   corte: sí _____ no _____
   brazo _____   pierna _____   tobillo _____   rodilla _____

3. accidente: sí _____ no _____   hombre _____ mujer _____   edad: _____
   fractura: sí _____ no _____   corte: sí _____ no _____
   brazo _____   pierna _____   tobillo _____   rodilla _____

4. accidente: sí _____ no _____   hombre _____ mujer _____   edad: _____
   fractura: sí _____ no _____   corte: sí _____ no _____
   brazo _____   pierna _____   tobillo _____   rodilla _____

Repaso cumulativo

Actividad A Listen and choose.

	a un(a) amigo(a)	a su profesor(a)	a sus padres
1.	☐	☐	☐
2.	☐	☐	☐
3.	☐	☐	☐
4.	☐	☐	☐
5.	☐	☐	☐
6.	☐	☐	☐
7.	☐	☐	☐
8.	☐	☐	☐

Pasajes de la vida

CAPÍTULO 3

Pasajes de la vida

Vocabulario ①

A Escoge una palabra del banco de palabras para completar cada frase.

el cura	el anuncio	pareja	una recepción
el alcalde	anillos	la ceremonia	civil	un velo

1. El novio y la novia forman una _____.

2. _____ nupcial tiene lugar en la iglesia.

3. Muchas novias llevan _____ con su traje de novia.

4. Muchos novios intercambian _____ durante su ceremonia nupcial.

5. _____ casa a los novios en la iglesia y _____ casa a los novios en el ayuntamiento.

6. La ceremonia en la iglesia es religiosa y la ceremonia en el ayuntamiento es

   _____.

7. Por lo general hay _____ en honor de los novios después de la ceremonia nupcial.

8. Muchas veces _____ nupcial sale en el periódico.

B Da la palabra cuya definición sigue.

1. una gran cena _____

2. edificio del gobierno municipal _____

3. templo religioso _____

4. el joven que se casa _____

5. lo que firman los novios durante una ceremonia civil _____

   _____

6. presidente(a) de un ayuntamiento de un pueblo o municipio _____

C Completa con una palabra apropiada.

1. _____ va a casarse con la _____ en la iglesia.

2. _____ participa en la ceremonia religiosa y _____ participa en la ceremonia civil.

3. Muchas parejas _____ anillos de boda.

4. Durante la recepción los invitados les dicen «¡_____!» a los novios.

5. _____ es una gran cena.

D Escribe a lo menos tres frases sobre cada uno de los siguientes temas.

1. los novios

_____

_____

_____

2. un matrimonio religioso

_____

_____

_____

3. un matrimonio civil

_____

_____

_____

4. una recepción

_____

_____

_____

E Escribe una invitación a una boda.

_____

_____

_____

_____

_____

Vocabulario ②

A Contesta.

1. ¿Bautiza el cura al recién nacido?

2. ¿Bautiza el cura al bebé con agua sagrada?

3. ¿Está el agua en una pila?

4. ¿Están presentes el padrino y la madrina durante el bautizo?

B Parea.

1. _____ el cementerio   **a.** la esquela
2. _____ el obituario   **b.** el sepelio
3. _____ el entierro   **c.** el difunto
4. _____ el muerto   **d.** el camposanto

C Completa con una palabra apropiada.

Hoy el niño _____ (1) cinco años. Todos sus amiguitos vienen a una _____ (2) para celebrar su _____ (3). En la mesa hay _____ (4) con cinco _____ (5).

D Usa cada palabra en una frase original.

1. nacer

2. bautizar

3. el cumpleaños

4. la viuda

5. la esquela

6. el sepelio

Gramática

El subjuntivo con deseos

A Escoge la forma apropiada del verbo.

1. Todos esperan que los recién casados _____ una vida feliz.

   a. tienen   **b.** tengan

2. Sus padres prefieren que _____ en la iglesia.

   a. se casen   **b.** se casan

3. Insisto en que tú me _____ lo que pasa.

   a. digas   **b.** dices

4. Esperan que nosotros _____.

   a. asistimos   **b.** asistamos

5. Ellos temen que yo no _____ a tiempo.

   a. llego   **b.** llegue

B Completa con la forma apropiada del verbo indicado.

1. Ellos insisten en que nosotros lo _____. (saber)

2. Él lo sabía pero temo que lo _____ olvidado. (haber)

3. Espero que ellos _____ a tiempo pero temo que

   _____ tráfico en la carretera. (llegar, haber)

4. Mis padres siempre tienen miedo de que yo no _____ atención a los rótulos en las carreteras pero no es verdad. (prestar)

5. Esperan que _____ los avisos en el periódico mañana. (salir)

C Completa.

1. Mis padres prefieren que yo _____.

2. Yo espero que mis amigos _____.

3. Mis amigos y yo tenemos miedo de que tú _____.

4. Deseo que mi mejor amigo(a) _____.

5. Insisten en que nosotros _____.

D Escribe una frase introducida por cada uno de los verbos. Usa dos sujetos en cada frase.

1. esperar

_____

2. insistir en

_____

3. temer

_____

4. desear

_____

5. preferir

_____

El subjuntivo con expresiones de emoción

A Indica si expresa una emoción u opinión.

		emoción	opinión
1.	sentir	☐	☐
2.	insistir	☐	☐
3.	creer	☐	☐
4.	alegrarse	☐	☐
5.	estar triste	☐	☐
6.	dudar	☐	☐
7.	es importante	☐	☐
8.	sorprender	☐	☐

B Completa con la forma apropiada del verbo.

1. Me alegro de que ustedes _____. (asistir)

2. Nosotros también. Pero sentimos que no _____ Elena. (estar)

3. Sí. ¡Qué pena que ella _____ que trabajar! (tener)

4. La verdad es que me sorprende que ellos no le _____ el día libre. (dar)

5. Pues, de todos modos Elena está contenta que yo _____ las fotos en su computadora. (cargar)

C Completa para formar a lo menos tres frases diferentes.

Me sorprende		ustedes
Mis padres se alegran de		yo
Estoy contento(a)	que	tú
Pero estoy triste		nosotros
Es una lástima		

_____

_____

_____

_____

_____

Los pronombres posesivos

A Da la forma masculina del pronombre.

1. mi _____

2. su _____

3. nuestro _____

4. tu _____

5. sus _____

6. tus _____

B Cambia según el modelo.

MODELO **mi cámara → la mía**

1. tu mascota _____

2. nuestra casa _____

3. mi novio _____

4. sus anillos _____

5. nuestro anuncio _____

6. tus regalos _____

7. mis trajes _____

8. mi fiesta _____

C Contesta usando un pronombre posesivo.

1. ¿Tienes mi dirección?

_____

_____

2. ¿Tienes nuestro número de móvil?

_____

_____

3. Yo tengo tu dirección, ¿no?

_____

_____

4. Yo tengo tu número de móvil, ¿no?

_____

_____

5. ¿Has hablado con tus padres?

_____

_____

6. ¿Han hablado tus amigos con sus padres?

_____

_____

7. ¿Tú has hablado con sus padres también?

_____

_____

8. Mi cumpleaños es el diez de octubre. ¿Cuándo es tu cumpleaños?

_____

_____

D Escribe cada frase usando un pronombre posesivo.

1. Tengo *mis boletos* pero no sé donde están *los boletos de José.*

_____

2. Carlos está buscando *mis maletas* y *sus maletas.*

_____

3. —No sé donde he puesto *mi pasaporte.* Eduardo, ¿tienes *tu pasaporte*?

—Sí, tengo *mi pasaporte.*

—¿Es posible que tengas *mi pasaporte* también?

—¡Déjame ver! Sí, tienes suerte. Tengo *nuestros pasaportes.*

_____

_____

_____

_____

4. —Yo creo que *mi cámara* toma mejores fotos que *la cámara de Susana.*

—Pues, no sé. Pero no hay duda que *tu cámara* toma mejores fotos que *mi cámara.*

_____

_____

5. María dice que prefiere *nuestro apartamento* pero no sé por qué. La verdad es que yo prefiero *su apartamento. Su apartamento* es más grande y soleado que *nuestro apartamento.*

_____

_____

_____

6. ¿Piensan ustedes vender *su carro*?

_____

Integración

¡A leer más!

A Lee el siguiente anuncio.

B Explica en inglés de lo que se trata el anuncio.

_____

_____

_____

_____

_____

A Lee el anuncio nupcial de un periódico de Santiago de Chile.

> Michel Claverie Balet, Marta Jaramillo de Claverie, Pedro Aspillaga Salas y Ana María Barros de Aspillaga participan a usted el matrimonio de sus hijos Rodrigo Aspillaga Barros y María Paz Claverie Jaramillo y le invitan a la ceremonia religiosa que se efectuará, con misa, en la Iglesia de los Sagrados Corazones de Alameda (Avda. Bernardo O'Higgins 2062), el día viernes, 17 de mayo a las 20 horas.

B Contesta en español.

1. ¿Quiénes se casan?

   _____

2. ¿Cuándo? Y, ¿a qué hora?

   _____

3. ¿Dónde?

   _____

   _____

C ¿Cómo se expresa en español en el anuncio?

1. inform you _____
2. will take place _____

D Mira el nombre del novio.

1. Escríbelo. _____
2. ¿Cuál es el nombre de familia de su padre? _____
3. ¿Cuál es el nombre de familia de su madre? _____

E Mira el nombre de la novia.

1. Escríbelo. _____
2. ¿Cuál es el nombre de familia de su padre? _____
3. ¿Cuál es el nombre de familia de su madre? _____

A Lee la siguiente esquela que anuncia la muerte de tres personas.

> ✝
>
> ## D. Tomás Romero Romero
> **Presidente de Parkestil S.Coop.C.Ltda.**
>
> y sus hijos
>
> ## Tomás Romero Allueva
>
> y
>
> ## M.ª Isabel Romero Allueva
>
> **Han fallecido en Barcelona, en accidente, el día 21 de mayo.**
>
> **Sus afligidos: esposa, María Isabel Allueva, padres y demás familia, comunican tan sensible pérdida y desean un eterno descanso para sus almas.**
>
> **El entierro tendrá lugar hoy, día 23 de mayo, a las 11 horas. La salida del cortejo fúnebre se efectuará desde la Residencia de los Príncipes de España de Bellvitge (Hospitalet).**
>
> **No se invita particularmente.**
>
> **Barcelona, 23 de mayo**

B Escribe en español un artículo para el periódico sobre la tragedia.

_____
_____
_____
_____
_____

Tarea

Introduction Authors often use figurative language to facilitate the reader's ability to form a mental picture of the mood and the action in a poem or story. In the poem *El hermano ausente en la cena de Pascua* that you have just read, Abraham Valdelomar uses descriptive vocabulary that "paints" the somber mood of the poem and allows the reader to visualize the scene. The reader "sees" the table, the mother, the food, and the maid, and "feels" the sadness as if he or she were part of the scene.

Task Write a paragraph in which you explain in detail the scene from the poem to someone who has not read the poem.

How

- Use the diagram below to help you organize your ideas by listing the people, things, or emotions you will describe, followed by the figurative language used by the author that helped you to imagine the scene.

- Create a draft and read it to a classmate for feedback. Use this feedback to revise your paragraph.

- Write your final paragraph.

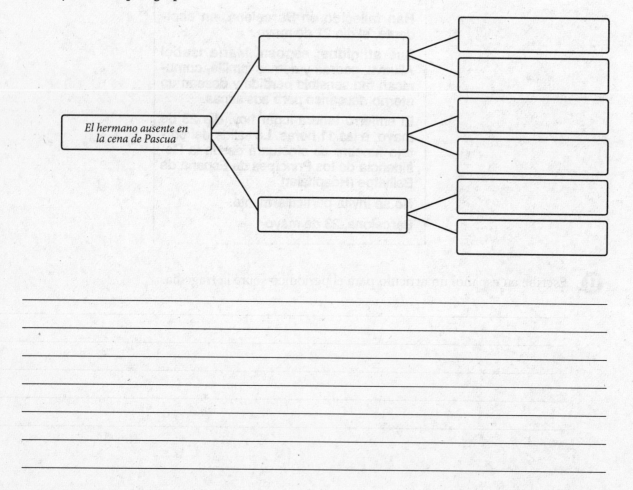

El hermano ausente en la cena de Pascua

_____

_____

_____

_____

_____

_____

_____

Pasajes de la vida

Vocabulario ❶

Actividad A Listen and repeat.

Actividad B Listen and choose.

1. a   b
2. a   b
3. a   b
4. a   b
5. a   b

Actividad C Listen and choose.

	sí	no
1.	☐	☐
2.	☐	☐
3.	☐	☐
4.	☐	☐
5.	☐	☐
6.	☐	☐
7.	☐	☐

Actividad D Listen and choose.

1. a   b   c
2. a   b   c
3. a   b   c
4. a   b   c
5. a   b   c

Vocabulario ❷

Actividad E Listen and repeat.

Actividad F Listen and repeat.

Actividad G Listen and choose.

	correcta	incorrecta
1.	☐	☐
2.	☐	☐
3.	☐	☐
4.	☐	☐
5.	☐	☐
6.	☐	☐
7.	☐	☐
8.	☐	☐

Actividad H Listen and answer.

Actividad I Listen and answer.

Gramática

Actividad A Listen and speak.

Actividad B Listen and answer.

Actividad C Listen and speak.

Actividad D Listen and answer.

Actividad E Listen and answer.

Actividad F Listen and speak.

Actividad G Listen and speak.

Actividad H Listen and choose.

1. a   b   c
2. a   b   c
3. a   b   c
4. a   b   c
5. a   b   c

Actividad I Listen and answer.

Conversación

Actividad A Listen.

Actividad B Listen and choose.

	sí	no
1.	☐	☐
2.	☐	☐
3.	☐	☐
4.	☐	☐
5.	☐	☐
6.	☐	☐

Lectura cultural

Actividad A Listen.

Actividad B Listen and choose.

1. ☐ Una ceremonia acompaña casi todos los pasajes de la vida.

2. ☐ Los padrinos son siempre parientes de la familia del bebé.

3. ☐ Los jóvenes judíos reciben su bat mitzvah a los trece años.

4. ☐ La edad legal para contraer matrimonio en España y Latinoamérica varía de un país a otro.

5. ☐ Los españoles y latinoamericanos se están casando más jóvenes que antes.

6. ☐ En algunos países el matrimonio civil es obligatorio.

7. ☐ Una amiga íntima de la novia siempre le sirve de dama de honor.

8. ☐ El último pasaje de la vida es la muerte.

9. ☐ En España y Latinoamérica todas las familias tienen un velorio en casa del difunto.

10. ☐ El entierro se efectúa en el cementerio.

Literatura

Actividad A Listen.

Integración

¡A escuchar más!

Actividad A Listen.

Actividad B Listen and write.

1. _____

2. _____

3. _____

4. _____

Actividad C Listen and choose.

1. a   b   c
2. a   b   c
3. a   b   c

Repaso cumulativo

Actividad A Listen and choose.

La familia López
Ana   Antonio
Marisa y Carlos
Juan
Maja
Elisa
Chispa

	correcta	incorrecta
1.	☐	☐
2.	☐	☐
3.	☐	☐
4.	☐	☐
5.	☐	☐
6.	☐	☐
7.	☐	☐
8.	☐	☐

Quehaceres

Quehaceres

Vocabulario

A Escoge la frase correcta.

1. ☐ **a.** José necesita un champú y va a la peluquería.

   ☐ **b.** José necesita un champú y va a la lavadora.

2. ☐ **a.** Carlos no tiene el pelo muy largo. Solo necesita un corte.

   ☐ **b.** Carlos no tiene el pelo muy largo. Solo necesita un recorte.

3. ☐ **a.** Julia tiene que llevar su ropa sucia a la lavandería.

   ☐ **b.** Julia tiene que llevar su ropa arrugada a la lavandería.

4. ☐ **a.** Mi ropa está sucia. ¿Dónde está la plancha?

   ☐ **b.** Mi ropa está arrugada. ¿Dónde está la plancha?

5. ☐ **a.** Para echar una tarjeta postal hay que ponerle sellos.

   ☐ **b.** Para echar una tarjeta postal hay que ponerle suelto.

6. ☐ **a.** Se puede cambiar las monedas en sellos.

   ☐ **b.** Se puede cambiar los billetes en monedas.

7. ☐ **a.** Si no hay buzón, tendrás que ir al cajero.

   ☐ **b.** Si no hay buzón, tendrás que ir al correo.

8. ☐ **a.** Hay que mantener un saldo en tu cuenta corriente.

   ☐ **b.** Hay que mantener cheques en tu cuenta corriente.

9. ☐ **a.** Si necesitas dinero tendrás que pedir un préstamo.

   ☐ **b.** Si necesitas dinero tendrás que abrir una cuenta corriente.

10. ☐ **a.** La tasa de interés de un préstamo a largo plazo es más baja que un préstamo a corto plazo.

    ☐ **b.** La tasa de interés de un préstamo a largo plazo es más alta que un préstamo a corto plazo.

B Subraya la palabra que no pertenece.

1. el corte   el recorte   la peluquería   el jabón en polvo

2. el lavado   el suelto   el detergente   el jabón en polvo

3. arrugado   planchar   sucio   la plancha

4. el préstamo   el sobre   el buzón   los sellos

5. la cuenta corriente   el cheque   el saldo   la moneda

6. el banco   el cajero automático   el suelto   el recorte

Nombre _____ Fecha _____

C Completa.

1. José tiene el pelo corto y solo necesita un _____ pero su amigo lo tiene muy largo y necesita un _____.

2. Ellos van a _____ cuando tienen el pelo largo.

3. «El lavado» significa _____.

4. Hay que llevar el lavado a _____.

5. Para lavarlo bien hay que poner detergente o un _____ de jabón en _____ en la lavadora.

6. A mucha gente no le gusta nada _____ su ropa arrugada.

7. Si quieres echar la carta tienes que ponerle _____.

8. Puedes echar la carta en el _____ que está en la esquina. Si no hay tendrás que ir al _____.

9. El dinero en efectivo consta de _____ y _____. _____ tienen más valor que _____.

10. Para pagar con cheque tienes que tener _____ en el banco.

D Completa cada palabra para deletrearla bien.

1. la ta_____ de interés a largo pla_____o

2. endo_____ar un che_____o pagar con una tar_____eta de crédito

3. los se_____os y los bi_____etes y las estampi_____as

4. el _____obre en el bu_____ón

5. el _____abón en pol_____o y el deter_____ente

6. el la_____ado o la ropa su_____ia

7. el la_____ado en la la_____adora en la la_____andería

E Contesta.

1. ¿Cuándo van los jóvenes a la peluquería?

_____

2. ¿Qué les hace el/la peluquero(a)?

_____

3. ¿Qué es el lavado?

_____

4. ¿Adónde tienes que llevar el lavado?

_____

4.4   ¡Así se dice!   Level 3

WORKBOOK
Copyright © by The McGraw-Hill Companies, Inc.

5. ¿En qué lo tienes que poner?

_____

6. ¿Qué tienes que añadir para que salga limpio?

_____

7. ¿Qué haces si la ropa sale arrugada y quieres llevarla a una fiesta?

_____

8. ¿Por qué está muy apresurado el muchacho?

_____

F Usa cada expresión en una frase original.

1. el correo

_____

2. el buzón

_____

3. el dinero en efectivo

_____

4. una cuenta corriente

_____

5. un préstamo

_____

6. la tasa de interés

_____

Gramática

El subjuntivo con expresiones de duda

Ⓐ Escoge.

1. Dudo que él lo (sabe, sepa).

2. No creo que él lo (sabe, sepa).

3. Pero ellos creen que él lo (sabe, sepa).

4. Ellos están seguros que él lo (sepa, sabe).

5. Pero la verdad es que no es cierto que él lo (sabe, sepa).

Ⓑ Completa con la forma apropiada del verbo.

1. Es dudoso que ellos _____ venir. (poder)

2. No estoy seguro que ella _____ la fecha. (saber)

3. Creo que ellos _____ que trabajar. (tener)

4. No creo que ellos _____ libres. (estar)

5. No dudo que ellos _____ asistir. (querer)

6. No hay duda que tú _____. (asistir)

7. No hay duda. Es cierto que yo _____ a asistir. (ir)

8. Yo creo que Teresa _____ muchas ganas de verte. (tener)

Ⓒ Escribe una frase original introducida por cada una de las expresiones siguientes.

1. Creo _____.

2. Ellos dudan _____.

3. José no duda _____.

4. Es cierto _____.

5. Es dudoso _____.

6. Estoy seguro _____.

El subjuntivo en cláusulas adverbiales

A Completa con el verbo **ir.**

—Te digo que Marta irá para que _____ tú. Ella no irá sin
                                         1

que _____ (tú). Ella se quedará en casa a menos que
          2

_____ tú.
     3

—Luego me estás diciendo que con tal de que (yo) _____, ella irá.
                                                              4

B Completa con la forma apropiada del verbo.

1. Ella enseña de manera que nosotros _____. (aprender)

2. Yo le daré el dinero para que él _____ hacer el viaje.
   (poder)

3. Yo no voy a pagar a menos que ellos _____ por lo menos
   una parte. (pagar)

4. Ellos irán con tal de que _____ nosotros. (ir)

5. Él trabaja tanto de manera que sus hijos _____ bien y

   para que _____ un futuro feliz. (vivir, tener)

C Usa cada expresión en una frase original.

1. a menos que

   _____

2. de manera que

   _____

3. para que

   _____

4. con tal de que

   _____

5. sin que

   _____

Otros tiempos compuestos

El pluscuamperfecto, el condicional perfecto y el futuro perfecto

A Parea.

1. _____ decir		**a.** puesto	
2. _____ hacer		**b.** abierto	
3. _____ ver		**c.** hecho	
4. _____ escribir		**d.** visto	
5. _____ poner		**e.** cubierto	
6. _____ romper		**f.** escrito	
7. _____ volver		**g.** muerto	
8. _____ morir		**h.** roto	
9. _____ abrir		**i.** dicho	
10. _____ cubrir		**j.** vuelto	

B Contesta.

1. Ellos salieron el jueves. ¿Ya habías salido?

_____

2. ¿Ya habían terminado ustedes el trabajo?

_____

_____

3. ¿Ya había escrito Elena la carta?

_____

4. ¿Ya habías hecho la maleta?

_____

5. ¿Ya habían comprado los boletos tus amigos?

_____

_____

C Contesta según el modelo.

MODELO —¿**Lo habrías hecho?**
—**Sí, lo habría hecho pero ya lo había hecho.**

1. ¿Lo habrías comprado?

_____

_____

2. ¿Lo habrías vendido?

_____

_____

3. ¿Lo habrías dicho?

_____

_____

4. ¿Lo habrías devuelto?

_____

_____

5. ¿Lo habrías preparado?

_____

_____

D Escribe una frase original según el modelo.

MODELO **ellos / ir →**
Ellos habrían ido pero no fueron porque ya habían ido.

1. yo / visitar / Córdoba

_____

_____

2. ellos / ir / banco

_____

_____

3. ella / lavar / ropa

_____

_____

4. nosotros / pedir / préstamo

_____

_____

5. tú / decir / respuesta

_____

_____

6. ustedes / ayudar

_____

_____

7. ella / hacer / viaje

_____

_____

8. yo / salir

_____

_____

Integración

¡A leer más!

 A Lee el siguiente artículo que trata de asuntos bancarios importantes.

Los servicios que te pueden ofrecer un banco son importantes y variados. Si tiene una cuenta corriente puedes pagar todas tus facturas electrónicamente en línea. Pero hay que tener cuidado porque es necesario que tengas suficientes fondos o dinero en tu cuenta para cubrir todos los cargos que quieres deducir. En cualquier momento puedes acceder tu estado de cuenta para verificar tu saldo.

Puedes abrir también una cuenta de ahorros si no quieres gastar todo el dinero que ganas, o sea tus ingresos. Depositas el dinero en la cuenta de ahorros y el banco te paga interés. Así va subiendo el saldo de tu cuenta y vas haciéndote más rico. Todos aconsejan que empieces a ahorrar dinero cuando eres muy joven. Es una buena práctica.

B Parea.

1. _____ checking account
2. _____ funds
3. _____ charges
4. _____ account statement
5. _____ balance
6. _____ savings account
7. _____ income

a. la cuenta de ahorros
b. el estado de cuenta
c. los fondos
d. los ingresos
e. la cuenta corriente
f. los cargos
g. el saldo

C Según el anuncio, ¿cuál es una buena práctica? ¿Estás de acuerdo o no? Explica.

_____

_____

_____

_____

Tarea

Introduction Knowing how to budget your money is an important life skill. A budget helps you to insure that your expenses do not exceed your income. Your expenses include anything that you pay for: food, gas, clothes, entertainment, phone, rent, etc. Your income is any money that you earn.

Imagine that you and some of your classmates are preparing for a trip to Mexico with your Spanish teacher. Your teacher has asked each of you to prepare a budget to help you plan for your expenses and avoid running out of money. He/She has given you a list of expenses that you will have in Mexico, but it is up to you to decide what activities you may want to take part in and what purchases you may want to make in addition to the expenses on the list.

Task Prepare a budget that shows your available funds and your projected expenses while on the trip. Then write a paragraph that indicates what activities and things you believe you will be able to afford and what you doubt you will be able to afford.

How

- Use the chart below to help you organize your budget. Write the amount that you have to spend, then subtract your expenses from that amount.

- Use the information from your budget to write a paragraph that explains your beliefs and doubts about your budget. Proofread and revise your paragraph.

- Write your final paragraph.

fondos disponibles:	
	$
egresos requiridos:	
transporte público	$40
entradas a los museos	$30
almuerzos	$50
egresos posibles:	
meriendas	$
sellos/correo	$
lavandería	$
lo que quiero hacer en México:	
	$
	$
	$
lo que quiero comprar en México:	
	$
	$
	$

CAPÍTULO
4

Quehaceres

Vocabulario

Actividad A Listen and repeat.

Actividad B Listen and choose.

	correcta	incorrecta
1.	☐	☐
2.	☐	☐
3.	☐	☐
4.	☐	☐
5.	☐	☐
6.	☐	☐
7.	☐	☐
8.	☐	☐

Actividad C Listen and choose.

1. a b c
2. a b c
3. a b c
4. a b c
5. a b c
6. a b c
7. a b c
8. a b c

Actividad D Listen and choose.

1. a b
2. a b
3. a b
4. a b
5. a b

Gramática

Actividad A Listen and speak.

Actividad B Listen and speak.

Actividad C Listen and answer.

Actividad D Listen and speak.

Actividad E Listen and answer.

Actividad F Listen and speak.

Actividad G Listen and speak.

Actividad H Listen and speak.

Actividad I Listen and speak.

Actividad J Listen and answer.

Actividad K Listen and answer.

Actividad L Listen and answer.

Conversación

Actividad A Listen.

Actividad B Listen and choose.

	sí	no
1.	☐	☐
2.	☐	☐
3.	☐	☐
4.	☐	☐
5.	☐	☐
6.	☐	☐
7.	☐	☐
8.	☐	☐
9.	☐	☐
10.	☐	☐

Lectura cultural

Actividad A Listen.

Actividad B Listen and choose.

dijeron

vista

cursos

ocupado

velo

sabe

sale

pasear

llevar

lavar

sin

cuento

Actividad C Listen and write.

Andalucía

_____

_____

_____

dinero

_____

_____

_____

Integración

¡A escuchar más!

Actividad A Listen.

Actividad B Listen and choose.

	sí	no
1.	☐	☐
2.	☐	☐
3.	☐	☐
4.	☐	☐
5.	☐	☐
6.	☐	☐
7.	☐	☐
8.	☐	☐

Actividad C Listen and choose.

1. a. a budget
   b. a purpose
   c. a loan

2. a. income
   b. expenses
   c. exits

3. a. diners
   b. wealthy people
   c. bankers

4. a. a package of good values
   b. a good budget
   c. the stock market

5. a. on location
   b. in installments (over time)
   c. in cash

6. a. any loan
   b. a mortgage
   c. a hypocrite

Repaso cumulativo

Actividad A Listen and choose.

	sí	no
1.	☐	☐
2.	☐	☐
3.	☐	☐
4.	☐	☐
5.	☐	☐

¿Buenos o malos modales?

Nombre _____ Fecha _____

¿Buenos o malos modales?

Vocabulario

A Indica si la información es correcta o no.

	correcta	incorrecta
1. Todos permanecen sentados cuando otra persona llega.	☐	☐
2. Para levantarse es necesario ponerse de pie.	☐	☐
3. Muchas veces los señores se dan la mano cuando se conocen.	☐	☐
4. Darse la mano y abrazarse son las mismas acciones.	☐	☐
5. Las muchachas se dieron un besito en la mejilla cuando se vieron.	☐	☐
6. José no quería pagar la cuenta en el restaurante porque fue él quien había invitado a su amigo.	☐	☐
7. La madre se enfada cuando su hijo se comporta bien.	☐	☐
8. Los dos amigos se abrazan cuando se despiden.	☐	☐

B Parea las palabras relacionadas.

1. _____ sentarse   a. un besito
2. _____ saludar   b. el comportamiento
3. _____ besar   c. sentado
4. _____ abrazar   d. el invitado
5. _____ conocer   e. un saludo
6. _____ invitar   f. un conocido
7. _____ comportar   g. un abrazo
8. _____ castigar   h. el castigo

C Completa con una palabra apropiada.

1. Alguien llegó y todos los que estaban _____ en la sala se levantaron.
2. Las señoras se dan un _____ en la mejilla.
3. Los dos amigos se dieron un _____ cuando se despidieron.
4. ¡No lo puedo creer! Me _____ mucho lo que haces. No te comportas bien.
5. Carlos. Dame la cuenta. Quiero pagar porque yo te _____.

WORKBOOK
Copyright © by The McGraw-Hill Companies, Inc.   Capítulo 5   **5.3**

6. La madre se _____ porque su hijito se comportó mal y ella lo

_____.

7. Él me dio la _____ cuando lo conocí.

D Contesta.

¿Cuáles son tres maneras en que la gente puede saludarse y despedirse?

1. _____

2. _____

3. _____

E Da otra palabra o expresión que significa la misma cosa.

1. ponerse de pie _____

2. portarse _____

3. besar _____

4. dar un abrazo _____

5. enojarse _____

F Usa cada palabra o expresión en una frase original.

1. darle la mano

_____

2. darle un besito

_____

3. abrazarse

_____

4. levantarse

_____

5. comportarse

_____

6. enamorado(a)

_____

G Escribe un párrafo en que describes un encuentro entre unos amigos hispanos.

_____

_____

_____

_____

Gramática

El imperfecto del subjuntivo

A Da la forma de **yo** del imperfecto del subjuntivo del verbo.

1. yo habl_____
2. yo beb_____
3. yo viv_____
4. yo pid_____

5. yo conoc_____
6. yo devolv_____
7. yo dij_____
8. yo conduj_____

B Da la forma de **ustedes** del imperfecto del subjuntivo del verbo.

1. comprar _____
2. vender _____
3. escribir _____
4. estar _____
5. tener _____
6. querer _____
7. hacer _____
8. poder _____
9. saber _____
10. traer _____

C Escribe una frase según el modelo.

MODELO   **ellos / no volver →**
          Me sorprendió que ellos no volvieran.

1. ellos / no llegar

_____

2. tú / salir

_____

3. ustedes / no hacerlo

_____

4. él / no saberlo

_____

5. ella / no devolverlo

_____

6. tú / no pedirlo

_____

D Completa con la forma correcta del verbo.

1. Él insistió en que nosotros nos _____. (levantar)

2. Insistió en que nosotros _____. (venir)

3. Yo quería que él nos _____. (ver)

4. Ellos estaban contentos que nos _____. (ver)

5. Yo dudaría que ella no le _____. (hablar)

6. Teníamos miedo de que ellos no _____ llegar a tiempo. (poder)

7. Fue necesario que él _____ al tanto de todo. (estar)

8. Su madre siempre insistía en que el niño _____ bien y que
   _____ buenos modales. (comportarse, tener)

9. El niño no quería que su mamá lo _____. (castigar)

10. Yo no quería que tú se lo _____. (decir)

11. Yo preferiría que nosotros mismos lo _____. (hacer)

12. Ella nos enseñó de manera que _____. (aprender)

E Cambia el verbo principal al imperfecto y haz los cambios necesarios.

1. No quiero que él lo haga.

   _____

2. Prefieren que no salgamos.

   _____

3. Es necesario que ellos lo sepan.

   _____

4. Dudo que él venga.

   _____

5. Tenemos miedo de que ella esté enferma.

   _____

6. Insisten en que lo terminemos pronto.

   _____

F Completa.

1. Yo quería que _____.

2. Ellos insistieron en que _____.

3. Fue importante que _____.

4. Me sorprendió que _____.

5. Estaban contentos que _____.

6. Temía que _____.

7. No creía que _____.

8. Nos alegró de que _____.

G Completa con la forma correcta del verbo.

hablar

1. **a.** Yo quiero que ustedes _____ español.

   b. Yo quería que ustedes _____ español.

   c. Yo preferiría que ustedes _____ español.

   d. Yo sé que él querrá que ustedes _____ español.

salir

2. **a.** Ellos preferirían que tú no _____.

   b. Los otros prefieren que tú _____.

   c. Mamá querrá que tú no _____.

   d. Yo prefería que tú no _____.

saber

3. **a.** Es importante que ella lo _____.

   b. Sería necesario que ella lo _____.

   c. Ellos dudan que ella lo _____.

   d. La verdad es que preferían que ella no lo _____.

H Escribe un párrafo en que explicas lo que fue importante que hicieras la semana pasada.

_____

_____

_____

_____

Subjuntivo o infinitivo

A Completa.

1. Yo quiero _____.

2. Ellos quieren _____.

3. Nosotros preferimos _____.

4. Él insiste en que _____.

5. Yo espero _____.

6. Ellos tienen ganas de _____.

B Contesta según el modelo.

MODELO   —¿Quieres que ellos lo hagan?
—No, yo quiero hacerlo.

1. ¿Quieres que ellos salgan?

_____

2. ¿Prefieres que yo lo haga?

_____

3. ¿Insistes en que ellos paguen?

_____

4. ¿Querías que ellos fueron?

_____

5. ¿Preferías que yo preparara la comida?

_____

C Completa con la forma apropiada del verbo.

1. Yo quiero _____. (ir)

2. Yo quiero que tú _____. (ir)

3. Es necesario _____ con él. (hablar)

4. Es necesario que tú _____ con él. (hablar)

5. Preferimos _____ lo que está pasando. (saber)

6. Preferimos que tú _____ lo que está pasando. (saber)

7. Me alegro de _____ aquí. (estar)

8. Me alegro de que tú _____ aquí. (estar)

Sufijos

 Escribe la forma diminutiva.

1. el niño _____

2. la niña _____

3. el hijo _____

4. la hija _____

5. el chico _____

6. la chica _____

7. el árbol _____

8. el animal _____

9. el parque _____

10. la calle _____

11. el coche _____

12. el jardín _____

13. el balón _____

14. el café _____

Integración

¡A leer más!

A Lee el siguiente artículo sobre un comportamiento honorable.

El placer de ayudar a otros

Muchos de nosotros servimos como voluntarios, quizás en nuestros museos, iglesias, bibliotecas públicas y hospitales locales. Pero con las obligaciones de la vida moderna, aunque quisiéramos hacer más, el tiempo nos escasea.

¿Cuál es la solución? ¡Vacaciones que ofrecen oportunidades de ayudar a otros!

Varias compañías y hasta una línea de cruceros ofrecen viajes que permiten participar en servicio humanitario. *Cruise West* (www.cruisewest.com), una línea de cruceros pequeños ofrece una travesía, *Whales & Wildlife* (Ballenas y Vida Salvaje) en Baja, México, del 12 al 20 de enero, que además de visitar playas y pueblos coloniales, ayudará a la gente local.

Los pasajeros del barco *Spirit of Yorktown* pueden optar por una «fiesta para pintar» durante la cual pintarán un orfelinato en La Paz. El 19 de enero los participantes se transportarán a la Ciudad de los Niños y las Niñas de La Paz donde pasarán el día pintando las aulas y dormitorios de los niños y disfrutarán de un asado con ellos.

«Todo el mundo gana», dice Jeff Krida, presidente de *Cruise West*. «La gente local recibe ayuda y nuestros pasajeros los conocen y comparten con ellos».

El costo del programa opcional para voluntarios es de $299 por persona e incluye dos noches de hotel, transporte local y algunas comidas. Este costo es en adición a las tarifas de la travesía de siete noches que comienzan en $2.399 por persona, cupo doble.

Esta oportunidad para voluntarios en La Paz es parte del programa *Our Bear Cares* de *Cruise West*, por medio del cual la empresa ha estado haciendo obras caritativas en las regiones en que navega desde 1946.

La empresa, añade Krida, selecciona los proyectos con cuidado para no tener impacto negativo en la cultura local.

El año pasado la línea ofreció dos travesías para ayudar a un pueblo de Panamá a preparar su escuela, donando materiales escolares y los pasajeros pintaron la escuela.

«Necesitábamos a 30 [voluntarios] y recibimos 70», dijo Krida.

Es difícil cuantificar cuantas organizaciones como *Our Bear Cares* existen, ya que hay una gran variedad de sitios incluyendo iglesias, museos, hospitales, organizaciones para el beneficio del medio ambiente, que ofrecen oportunidades a voluntarios.

The Travel Industry Association of America comenzó a notar el interés en viajes para ayudar en el 2005 cuando 100.000 voluntarios participaron en un evento de *National Public Lands* para sembrar árboles, construir trechos naturales y realizar otros trabajos en parques nacionales. Un sondeo de TIA indica que el interés de participar en viajes para ayudar subió del 6 por ciento en el 2006 al 11 por ciento este año.

Ambassadors for Children, una organización en Indianapolis (www.ambassadorsforchildren.org) es otra opción para los que desean combinar un viaje con servicio humanitario. La organización ofrece vacaciones para ayudar a niños en quince países.

La gente quiere disfrutar de un destino turístico, pero «verlo de una manera diferente al trabajar en una escuela u orfelinato», dijo Sally Brown, presidenta de *Ambassadors for Children*.

Dado el creciente interés en sus viajes, la organización ha aumentado de dos a tres sus viajes a Uganda «y eso es lo que estamos experimentando en la mayoría de nuestros destinos», dijo Brown.

Entre los viajes de una y dos semanas de *Ambassadors for Children* se encuentra uno a Guatemala (desde $999 por una semana con salidas en marzo y en el otoño del 2008).

Aún otra opción para voluntarios es *Global Volunteers*, una organización que ofrece programas en veinte países en seis continentes. Uno, a Costa Rica, ofrece la oportunidad de trabajar mano a mano con miembros de la comunidad.

A veces el proyecto es pintar o renovar edificios y jardines u organizar ropa donada. El trabajo varía dependiendo en las necesidades locales. Un programa de dos semanas, con descuento de Internet, cuesta $2.395. Hay dieciséis salidas en el 2008. Programas al Ecuador incluyen enseñanza y juegos en un centro para niños (dos semanas por $2.195 con descuento de Internet). www.globalvolunteers.org/costarica.

«No hace falta experiencia», dijo Brown. «Cualquiera que fuera su interés, ya sea deportes, la lectura o el arte, la organización determina como usarlo para ayudar a los niños».

Muchos voluntarios regresan al mismo destino año tras año, otros van a sitios diferentes. «Todos nos dicen que es una experiencia que satisface», añadió Brown.

B Contesta sobre el artículo.

1. ¿En qué trabajamos muchos como voluntarios?

_____

_____

2. ¿Cómo y a quiénes van a ayudar los pasajeros del barco Spirit of Yorktown?

_____

_____

3. ¿Cuál es el costo del programa opcional?

_____

4. ¿Cuál es el programa opcional?

_____

_____

5. ¿Cuánto es la tarifa normal de la travesía sin el programa opcional?

_____

6. ¿Tiene mucha gente interés en estos programas haciendo obras caritativas?

_____

C Prepara una lista de las obras caritativas que hacen los voluntarios.

_____

_____

_____

Tarea

Introduction During the Middle Ages, the rebellion and discomfort in changing societies caused authors to write collections of stories that could be used to teach people how to behave in both their public and private lives. *El Conde Lucanor* is an example of this kind of literature, similar to *Aesop's Fables.* When Don Juan Manuel wrote this collection in the fourteenth century, he designed it so that people who read it would be entertained by the stories or "fables" and would also learn from them. To accomplish this he often included elements of humor.

Task With a partner you are going to write a fable and illustrate it in poster or booklet format. Some possible modern day topics are: marrying for money, gender equality in relationships, independence for women, being overly aware of the impressions of others, materialism, etc.

How

- Create a list of main ideas you want to include.
- Discuss how you would illustrate these ideas.
- Use the diagram below to arrange the sequence of events in your fable.
- Create a rough copy and then a final copy of your fable.
- Present and explain your fable to the class.

At the end of your fable, be sure to write a moral that restates its main idea.

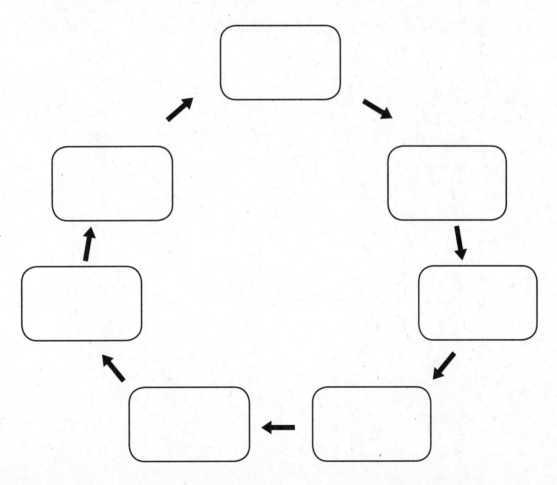

_____
_____
_____
_____
_____
_____
_____
_____
_____
_____
_____
_____
_____

Nombre _____ Fecha _____

¿Buenos o malos modales?

Vocabulario

Actividad A Listen and repeat.

Actividad B Listen and choose.

	a	b
1.	☐	☐
2.	☐	☐
3.	☐	☐
4.	☐	☐
5.	☐	☐

Actividad C Listen and choose.

	sí	no
1.	☐	☐
2.	☐	☐
3.	☐	☐
4.	☐	☐
5.	☐	☐
6.	☐	☐
7.	☐	☐
8.	☐	☐

Actividad D Listen and choose.

	sí	no
1.	☐	☐
2.	☐	☐
3.	☐	☐
4.	☐	☐
5.	☐	☐
6.	☐	☐
7.	☐	☐
8.	☐	☐

Actividad E Listen and choose.

	sí	no
1.	☐	☐
2.	☐	☐
3.	☐	☐
4.	☐	☐
5.	☐	☐

Actividad F Listen and answer.

Nombre _____ Fecha _____

Gramática

Actividad A Listen and choose.

	presente del subjuntivo	imperfecto del subjuntivo
1.	☐	☐
2.	☐	☐
3.	☐	☐
4.	☐	☐
5.	☐	☐
6.	☐	☐
7.	☐	☐
8.	☐	☐
9.	☐	☐
10.	☐	☐
11.	☐	☐
12.	☐	☐
13.	☐	☐
14.	☐	☐

Actividad B Listen and choose.

	pretérito	imperfecto del subjuntivo
1.	☐	☐
2.	☐	☐
3.	☐	☐
4.	☐	☐
5.	☐	☐
6.	☐	☐
7.	☐	☐
8.	☐	☐
9.	☐	☐
10.	☐	☐
11.	☐	☐
12.	☐	☐

Actividad C Listen and speak.

Actividad D Listen and speak.

Actividad E Listen and answer.

Actividad F Listen and choose.

	1 (ningún cambio de sujeto)	2 (cambio de sujeto)
1.	☐	☐
2.	☐	☐
3.	☐	☐
4.	☐	☐
5.	☐	☐
6.	☐	☐
7.	☐	☐
8.	☐	☐

Actividad G Listen and answer.

Conversación

Actividad A Listen.

Actividad B Listen and choose.

	sí	no
1.	☐	☐
2.	☐	☐
3.	☐	☐
4.	☐	☐
5.	☐	☐
6.	☐	☐
7.	☐	☐
8.	☐	☐
9.	☐	☐
10.	☐	☐

Lectura cultural

Actividad A Listen.

Actividad B Listen, choose, and write.

1. ☐ Todas las culturas tienen sus propias tradiciones y costumbres.
2. ☐ Estas costumbres y tradiciones culturales no son muy importantes.
3. ☐ Una cultura es siempre superior a otra.
4. ☐ No hay una sola cultura hispana.
5. ☐ Los hispanos jóvenes se levantan cuando alguien llega o entra en la sala.
6. ☐ Cuando los señores se abrazan se dan unos golpes en la mano y en el brazo.

In English, describe the typical «besito» and its meaning.

_____

_____

_____

Actividad C Listen.

Actividad D Listen and write.

1. el uso de «tú» y «usted»

_____

_____

2. el voseo

_____

_____

3. el uso de títulos

_____

_____

4. una tertulia

_____

_____

Actividad E Listen and choose.

	sí	no
1.	☐	☐
2.	☐	☐
3.	☐	☐
4.	☐	☐
5.	☐	☐
6.	☐	☐
7.	☐	☐
8.	☐	☐

Literatura

Actividad A Listen.

Integración

¡A escuchar más!

Actividad A Listen.

Actividad B Listen and choose.

		sí	no
1.	Es un músico serio.	☐	☐
2.	Se considera una persona que a veces no tiene paciencia.	☐	☐
3.	Es un tipo nervioso.	☐	☐
4.	Le gusta comprender a la gente.	☐	☐
5.	Le enoja mucho el comportamiento que no puede entender.	☐	☐
6.	Según él, tiene pocos defectos.	☐	☐
7.	Es un tipo callado. No le gusta hablar.	☐	☐
8.	Es una persona bien organizada.	☐	☐
9.	Tiene talento para organizar a otros.	☐	☐
10.	Siempre sabe exactamente lo que está haciendo.	☐	☐
11.	Le molestan mucho la ignorancia y la hipocresía.	☐	☐
12.	Para él los deportes son una gran prioridad.	☐	☐

Repaso cumulativo

Actividad A Listen and choose.

	en avión	en tren
1.	☐	☐
2.	☐	☐
3.	☐	☐
4.	☐	☐
5.	☐	☐
6.	☐	☐
7.	☐	☐
8.	☐	☐

Viajes

Viajes

Vocabulario ❶

A Completa con una palabra del banco de palabras.

reclamar	técnico	disponibles	el talón	control	pesar
perdieron	la etiqueta	un límite	la pantalla	la aduana	hacer escala

1. _____ lleva el destino del pasajero.

2. _____ lleva el nombre del pasajero.

3. Los pasajeros tienen que pasar por _____.

4. Hay _____ de peso. Una maleta no puede _____ más de 22 kilos.

5. El vuelo está completo. No hay asientos _____.

6. _____ indica las horas de las salidas y llegadas de los vuelos.

7. Algo no funciona en el avión. Hay un problema _____.

8. Después de un vuelo internacional los pasajeros tienen que pasar por el _____ de pasaportes.

9. Ellos _____ su vuelo porque llegaron tarde al aeropuerto.

10. Tenemos que _____ nuestro equipaje después de llegar al destino.

B Contesta.

1. En el avión, ¿prefieres un asiento en la ventanilla o en el pasillo?

   _____

2. ¿Qué pasajeros tienen que pasar por el control de pasaportes y por la aduana?

   _____

   _____

3. ¿Reclaman los pasajeros su equipaje en el aeropuerto de llegada o de salida?

   _____

4. ¿Llega el equipaje en una correa?

   _____

C Completa con una palabra apropiada.

1. Cada maleta debe tener _____ y _____.

   _____ indica hasta donde está facturada la maleta y

   _____ indica la dirección del pasajero si por acaso se pierde
   la maleta.

2. Hoy en día hay un _____ de peso. Ninguna maleta puede

   _____ más de 22 kilos.

3. Para ver la información sobre los vuelos se necesita consultar la _____.

4. Un vuelo directo hace _____ antes de continuar a su destino.

5. Si el vuelo no está _____ hay asientos _____.

6. Los pasajeros internacionales tienen que pasar por _____ y

   _____.

7. Antes de pasar por la aduana los pasajeros tienen que _____ su
   equipaje para que los agentes de la aduana lo inspeccionen si lo consideran necesario.

8. El equipaje del vuelo 105 procedente de Panamá está llegando en la

   _____ F.

D Contesta.

1. Cuando tomas un vuelo, ¿dónde prefieres sentarte?

   _____

   _____

2. ¿Qué puedes consultar si por una razón u otra no sabes a qué hora o de dónde va a salir
   tu vuelo?

   _____

3. ¿Por dónde tienen que pasar los pasajeros internacionales?

   _____

   _____

4. ¿Adónde van los pasajeros por su equipaje cuando llegan a su destino?

   _____

   _____

E Da una palabra relacionada.

1. sentarse _____

2. pasar _____

3. reclamar _____

4. limitar _____

5. volar _____

6. disponer _____

F Usa cada palabra o expresión en una frase original.

1. el talón

_____

2. hacer escala

_____

3. exceder

_____

4. pesar

_____

5. reclamar

_____

6. la correa

_____

G Escribe un párrafo en que explicas todo lo que tienes que hacer en el aeropuerto de salida.

_____

_____

_____

_____

H Escribe un párrafo en que explicas todo lo que tienen que hacer los pasajeros internacionales en el aeropuerto de llegada.

_____

_____

_____

_____

Vocabulario ❷

A Parea.

1. _____ los suburbios
2. _____ de largo recorrido
3. _____ de cerca
4. _____ cambiar de tren
5. _____ alquilar
6. _____ verificar

a. rentar
b. las afueras
c. chequear
d. cercano
e. de larga distancia
f. transbordar

B Contesta.

1. ¿Adónde va el tren de cercanías?

_____

2. ¿Adónde va el tren de largo recorrido?

_____

3. ¿Qué quieren hacer los pasajeros que van a una agencia de alquiler?

_____

4. Para conducir un carro, ¿es necesario tener una póliza de seguros?

_____

5. ¿Qué es posible que tenga un carro que haya tenido un accidente?

_____

C Completa con una palabra apropiada.

1. Si tienes que ir a los suburbios tienes que tomar el tren

_____.

2. Es el tren de _____ que

_____ las grandes ciudades que no están cerca la una de la otra.

3. Los pasajeros que van de Madrid a Sitges tienen que

_____ en Barcelona.

4. Para rentar un carro (alquilar un coche) hay que _____ un contrato.

5. En caso de un accidente los _____ son muy importantes. Es posible declinarlos si el individuo tiene su propia

_____.

6. Un carro que ha tenido un accidente tiene _____ y

_____.

7. Si estás conduciendo y quieres cambiar de carril para adelantar (rebasar) otro vehículo

debes mirar en el _____.

8. Una póliza de seguros contra _____ cubre todo—accidente, robo, heridas, etc.

D Contesta.

1. ¿Cuál es la diferencia entre un tren de cercanías y un tren de largo recorrido?

_____

_____

2. ¿Por qué tienen que transbordar algunos pasajeros?

_____

_____

3. Si quieres alquilar un coche, ¿cuándo puedes declinar los seguros?

_____

4. ¿Qué tienes que firmar en la agencia de alquiler?

_____

5. Si no quieres pagar por cada kilómetro que recorres, ¿qué tarifa debes tomar?

_____

6. En una agencia de alquiler, ¿qué debes verificar antes de aceptar un vehículo?

_____

7. ¿Cómo tienes que devolver el carro (el coche)?

_____

E Escribe un párrafo en que explicas el proceso de alquilar un carro.

_____

_____

_____

_____

_____

Gramática

El subjuntivo con conjunciones de tiempo

A Escoge.

1. Yo le hablaré en cuanto yo lo (veo, vea).

2. Ellos nos llamarán en nuestro móvil cuando (lleguen, llegarán).

3. Favor de dármelo tan pronto como (puedes, puedas).

4. ¿Vas a esperar hasta que (saldremos, salgamos)?

5. Yo le hablé en cuanto yo lo (vi, vea).

6. Ellos nos llamaron en cuanto (llegaron, llegaran).

7. Yo sé que me lo diste tan pronto como (puedas, pudiste).

8. Él esperó hasta que nosotros (salimos, salgamos).

9. Él lo hará antes de que nosotros lo (hacemos, hagamos).

10. Él lo hizo antes de que nosotros lo (hicimos, hiciéramos).

B Completa con la forma apropiada del verbo indicado.

1. Yo los veré cuando _____ aquí. (estar)

2. Yo los vi cuando _____ aquí. (estar)

3. Yo te avisaré en cuanto nosotros _____ noticias. (recibir)

4. Yo te avisé en cuanto nosotros _____ las noticias. (recibir)

5. No puedo esperar hasta que _____ ellos. (llegar)

6. No pude esperar hasta que _____ ellos. (llegar)

7. Él me llamará tan pronto como _____ su boleto. (comprar)

8. Él me llamó tan pronto como _____ su boleto. (comprar)

9. Ellos lo sabrán antes de que nosotros _____. (salir)

10. Ellos lo sabían antes de que nosotros _____. (salir)

C Completa.

1. Yo los veré cuando _____.

2. Yo los vi cuando _____.

3. Ellos me lo dirán en cuanto _____.

4. Ellos me lo dijeron en cuanto _____.

5. Yo estaré aquí hasta que _____.

6. Yo esperé aquí hasta que _____.

7. Ellos saldrán antes de que _____.

8. Ellos salieron antes de que _____.

D Escribe un párrafo en que explicas lo que harás cuando estés de vacaciones y lo que harán tú y tus amigos después de que terminen las clases.

_____

_____

_____

_____

_____

El subjuntivo con verbos especiales

A Completa con la forma apropiada de **hacer.**

1. Él nos aconseja que lo _____.

2. Él nos aconsejó que lo _____.

3. Te digo que lo _____.

4. Te dije que lo _____.

5. Les recomiendo que lo _____.

6. Les recomendé que lo _____.

7. Nos escriben que lo _____.

8. Nos escribieron que lo _____.

B Usa cada verbo en una frase original.

1. pedir

_____

2. decir

_____

3. rogar

_____

4. sugerir

_____

5. aconsejar

_____

6. recomendar

_____

C Escribe un párrafo en que explicas lo que tus padres te decían que hicieras cuando tenías diez años y lo que exigen que hagas ahora.

_____

_____

_____

_____

Sustantivos irregulares

A Completa con **el** o **la.**

1. _____ clima

2. _____ águila

3. _____ ala

4. _____ planeta

5. _____ mano

6. _____ mapa

7. _____ arma

8. _____ drama

9. _____ hacha

10. _____ hambre

B Escribe los nombres de la Actividad A (con la excepción de **hambre**) en el plural.

1. _____

2. _____

3. _____

4. _____

5. _____

6. _____

7. _____

8. _____

9. _____

Integración

¡A leer más!

A Lee el siguiente artículo de un periódico español.

El Blues del regreso

El atasco[1]. Las colas. La ciudad en obras a medio terminar. La casa sucia de ausencias. El polvo en los muebles. El síndrome descorazonador de la nevera vacía. El despertador. Más atascos. La oficina, la tienda, la fábrica. El jefe. Las repentinas urgencias de septiembre. El correo atrasado en el ordenador. El teléfono cargado de pedidos inmediatos. Los niños sin cole[2]. La compra de los libros, los uniformes, los materiales de la escuela. Las telarañas de la cuenta corriente. El telediario con sus tragedias. La Liga de fútbol. El relato de las vacaciones de los amigos. Las facturas de los extras de las vacaciones.

Un 35 por ciento de los españoles de entre 25 y 40 padece depresión postvacacional, según algunos estudios. Depresión es una palabra ambiciosa; quizá se trate solo de contrariedad, de agobio[3], de tristeza. El dolor de la vida cotidiana, la corteza de las rutinas, la evidencia de la realidad contrastada con los sueños. Pasa pronto: los sociólogos calculan que en unos quince o veinte días. Nos hemos vuelto demasiado sensibles a nosotros mismos. Nos escuchamos mucho. Nos quejamos demasiado.

Volver es una cuesta arriba. Más pronunciada cuanto menos satisfactoria es la rutina del trabajo. Los hay que no tienen trabajo; esos no vuelven de ninguna parte, excepto de su propia angustia. Los demás sufrimos un breve desajuste de readaptación, la sacudida justa para comprender que el ocio es un estado pasajero y que la vida transcurre por un circuito cerrado que va de la realidad a los deseos. Toca la realidad. El desconcierto apesadumbrado de estos días no es más que la reinstalación en la normalidad tras un leve pasaje de ausencias. Pero nadie puede, al cabo, ausentarse de si mismo.

[1]atasco	*traffic jam*
[2]cole	*escuela*
[3]agobio	*pressure*

B Prepara una lista de las cosas que les esperan a los que vuelven de sus vacaciones.

_____

_____

_____

_____

C En inglés expresa lo que les causa a los que vuelven un estado de depresión.

_____

_____

_____

D El artículo menciona algo del trabajo. En inglés explica lo que dice.

_____

_____

_____

_____

Tarea

Introduction The storyline of *Temprano y con sol* by Emilia Pardo Bazán was intentionally written with the events out of order. In order to understand the content of the story, it is helpful to determine the actual sequence of events. One way to do this is to use a diagram that clarifies and organizes the order in which the events actually occurred.

Task Rewrite the story *Temprano y con sol* for a younger audience in the correct time sequence and with simpler language when necessary.

How Use the diagram below or create one of your own in the space provided to help you sequence the events correctly.

Use the information you placed in your diagram to rewrite the story. Add illustrations to clarify the story if you feel it would make it easier for the reader to understand.

_____

_____

_____

_____

_____

_____

_____

_____

_____

_____

_____

_____

_____

Viajes

Vocabulario ❶

Actividad A Listen and repeat.

Actividad B Listen and choose.

	correcta	incorrecta
1.	☐	☐
2.	☐	☐
3.	☐	☐
4.	☐	☐
5.	☐	☐
6.	☐	☐
7.	☐	☐
8.	☐	☐

Actividad C Listen and choose.

	sí	no
1.	☐	☐
2.	☐	☐
3.	☐	☐
4.	☐	☐
5.	☐	☐
6.	☐	☐

Actividad D Listen and choose.

	sí	no
1.	☐	☐
2.	☐	☐
3.	☐	☐
4.	☐	☐
5.	☐	☐
6.	☐	☐
7.	☐	☐

Vocabulario ❷

Actividad E Listen and repeat.

Actividad F Listen and choose.

1. a b c
2. a b c
3. a b c
4. a b c
5. a b c
6. a b c

Actividad G Listen and choose.

1. a b
2. a b
3. a b
4. a b
5. a b
6. a b

Actividad H Listen and choose.

	sí	no
1.	☐	☐
2.	☐	☐
3.	☐	☐
4.	☐	☐
5.	☐	☐
6.	☐	☐
7.	☐	☐
8.	☐	☐

Gramática

Actividad A Listen and choose.

	futuro	pasado
1.	☐	☐
2.	☐	☐
3.	☐	☐
4.	☐	☐
5.	☐	☐
6.	☐	☐
7.	☐	☐
8.	☐	☐

Actividad B Listen and answer.

Actividad C Listen and answer.

Actividad D Listen and choose.

1. a   b
2. a   b
3. a   b
4. a   b
5. a   b
6. a   b

Actividad E Listen and answer.

Actividad F Listen and repeat.

Actividad G Listen and answer.

Conversación

Actividad A Listen.

Actividad B Listen and choose.

1. a   b
2. a   b
3. a   b
4. a   b
5. a   b
6. a   b
7. a   b

Lectura cultural

Actividad A Listen.

Actividad B Listen, choose, and write.

1. ☐ el aeropuerto en La Paz
2. ☐ la belleza de La Paz
3. ☐ el tráfico para ir a La Paz
4. ☐ un despegue de La Paz
5. ☐ la carretera entre La Paz y el lago Titicaca
6. ☐ las playas en las orillas del lago
7. ☐ los indígenas que viven a las orillas del lago

8. In English, explain all the information that was given about oxygen.

_____

_____

_____

Integración

¡A escuchar más!

Actividad A Listen.

Actividad B Listen and choose.

	sí	no
1.	☐	☐
2.	☐	☐
3.	☐	☐
4.	☐	☐
5.	☐	☐
6.	☐	☐
7.	☐	☐
8.	☐	☐
9.	☐	☐

Actividad C Listen.

Actividad D Listen and choose.

1. a   b
2. a   b
3. a   b
4. a   b
5. a   b

Repaso cumulativo

Actividad A Listen and choose.

	en el pasado	en el presente	en el futuro
1.	☐	☐	☐
2.	☐	☐	☐
3.	☐	☐	☐
4.	☐	☐	☐
5.	☐	☐	☐
6.	☐	☐	☐
7.	☐	☐	☐
8.	☐	☐	☐

CAPÍTULO

7

Arte y literatura

Arte y literatura

Vocabulario ❶

A Escoge la palabra apropiada del banco de palabras.

un pincel	el fondo	un taller	bronce	yeso	el caballete

1. El pintor o el escultor trabaja en _____.

2. El pintor usa _____ para aplicar los colores sobre el lienzo.

3. _____ es lo que se ve en la parte trasera del cuadro.

4. El artista pone su lienzo en _____ antes de empezar a pintar.

5. Muchas estatuas son de _____ y muchas cerámicas son de yeso.

B Completa con la letra que falta.

1. el lien_____o

2. el pin_____el

3. el cin_____el

4. de bron_____e

5. una _____erámica

6. el ta_____er

7. el caba_____ete

8. la acuare_____a

9. el ó_____eo

10. ta_____a

C Completa con una palabra apropiada.

1. Dos tipos de pinturas son _____ y _____.

2. El pintor _____ y el escultor _____.

3. _____ y _____ son instrumentos importantes que utilizan los pintores y los escultores.

4. La _____ es del árbol.

5. El artista pinta sobre una _____ plana.

D Da la palabra cuya definición sigue.

1. lo que le da dimensión a un cuadro _____

2. la parte delantera de un cuadro _____

3. la parte trasera de un cuadro _____

4. una pintura a base de agua _____

5. una pintura a base de aceite _____

6. lugar o local donde trabajan los artistas _____

E Describe en tus propias palabras.

1. una obra figurativa

_____

2. una obra abstracta

_____

3. una naturaleza muerta

_____

4. la perspectiva

_____

F Usa cada palabra en una frase original.

1. el lienzo

_____

2. el pincel

_____

3. el cincel

_____

4. tallar

_____

5. pintar

_____

G Da el contrario.

1. abstracto

   _____

2. el fondo

   _____

3. la parte delantera

   _____

4. los óleos

   _____

H Mira la foto en la página 206 del texto. Escribe un párrafo en que describes en detalle lo que hace el artista y lo que usa para hacerlo.

_____

_____

_____

_____

_____

Vocabulario ❷

A Contesta.

1. ¿Cuál es más largo? ¿Una novela o un cuento?

   _____

2. ¿Quiénes son los protagonistas de la novela *El Ingenioso Hidalgo Don Quijote de la Mancha*?

   _____

3. ¿Dónde tiene lugar *El Quijote*?

   _____

4. ¿En qué se divide una novela?

   _____

5. ¿Quién escribe poesía?

   _____

B Da la palabra cuya definición sigue.

1. el personaje más importante de la obra _____

2. la acción en la novela _____

3. en lo que se divide la novela _____

4. cada línea de un poema _____

5. cada serie de líneas de un poema _____

6. algo que le da musicalidad a un poema _____

C Escribe una frase sobre cada uno.

1. *El Quijote*

_____

_____

2. Don Quijote y Sancho Panza

_____

_____

_____

3. La Mancha

_____

_____

_____

4. El cuentista Horacio Quiroga

_____

_____

_____

D Escribe un párrafo en que describes tu novela o cuento favorito. Incluye detalles sobre el/la protagonista, el lugar y el argumento.

_____

_____

_____

_____

_____

_____

Gramática

El subjuntivo
Presente perfecto, pluscuamperfecto

A Completa la tabla con el presente perfecto del subjuntivo.

ella	haya hablado	_____	_____	_____
ustedes	_____	_____	hayan abierto	_____
nosotros	_____	hayamos salido	_____	_____
yo	_____	_____	_____	_____
tú	_____	_____	_____	hayas vuelto

B Completa la tabla con el pluscuamperfecto del subjuntivo.

yo	_____	hubiera dicho	_____	_____
nosotros	_____	_____	_____	hubiéramos vuelto
tú	hubieras llegado	_____	_____	_____
usted	_____	_____	_____	_____
ustedes	_____	_____	hubieran hecho	_____

C Completa con el presente perfecto del subjuntivo.

1. Es posible que ellos ya _____. (llegar)

2. Ellos dudan que yo lo _____. (ver)

3. ¿Te sorprende que nosotros lo _____? (hacer)

4. Me alegro de que ustedes _____ pasar tiempo juntos. (poder)

5. Temo que él lo _____. (dañar)

D Forma frases usando el presente perfecto del subjuntivo.

1. Espero que _____.

2. Estamos contentos que _____.

3. Ella duda que _____.

4. Es posible que _____.

5. ¿Temes que _____?

6. Nos sorprende que _____.

7. Me gusta que _____.

E Completa con el pluscuamperfecto del subjuntivo.

1. Ellos dudaron que ustedes _____ tal cosa. (decir)

2. Él insistió en que Carlos y yo _____. (terminar)

3. No pude creer que ellos no _____. (asistir)

4. No me sorprendió que él lo _____. (hacer)

5. Yo nunca habría creído que ellos _____ tanto éxito. (tener)

F Forma frases usando el pluscuamperfecto del subjuntivo.

1. sería posible que

_____

2. no habríamos creído que

_____

3. él dudó que

_____

4. yo temía que

_____

5. ellos se alegraban de que

_____

Cláusulas con **si**

A Escoge.

1. Si (tengo, tenga, tendré) tiempo, iré.

2. Si me (den, darán, dan) el dinero, lo compraré.

3. Si (puedo, podría, pudiera), lo haría.

4. Si nos (invitaron, invitaran, inviten), asistiríamos sin duda.

5. Si ellos (tuvieron, habían tenido, hubieran tenido) bastante dinero, habrían hecho el viaje.

6. Si yo (esté, estaría, hubiera estado) en Nueva York, habría ido al Museo del Barrio.

B Completa con la forma apropiada del verbo.

1. Ella no habría ido al hospital si no _____ un accidente. (tener)

2. Yo _____ novelista si pudiera escribir mejor. (ser)

3. Yo te daré el dinero si tú _____ devolvérmelo. (prometer)

4. Ellos irían a España si _____ el dinero. (tener)

5. Yo te habría comprado el cuadro si _____ que te gustaba tanto. (saber)

6. Nosotros lo _____ si tuviéramos un millón de dólares. (comprar)

7. Él me lo habría dicho si no _____ los resultados. (temer)

8. Ellos _____ si su padre no está enfermo. (venir)

C Escribe seis frases con **si**.

1. _____

2. _____

3. _____

4. _____

5. _____

6. _____

Los adverbios que terminan en -**mente**

A Escribe las formas adverbiales.

1. fácil _____

2. sincero _____

3. principal _____

4. raro _____

5. económico _____

6. mental _____

7. físico _____

8. habitual _____

9. artístico _____

10. decente _____

B Escribe una frase original con cada una de las siguientes palabras en su forma adverbial.

1. reciente

_____

2. usual

_____

3. discreto

_____

4. cuidadoso

_____

5. triste

_____

Integración

¡A leer más!

 Lee el siguiente artículo sobre el arte.

Antes de empezar a pintar, el pintor o artista tiene que tener su lienzo preparado. Tiene que tensarlo y colocarlo en el caballete. El pintor escoge su medio. Los tres medios que más emplean los pintores son la acuarela, el óleo y el acrílico. La espátula se usa para mezclar los colores y a veces para aplicarlos. Por lo general el artista aplica los colores con un pincel, sobre todo cuando pinta con acuarelas.

Al mirar una pintura hay que fijarse en la composición. Hay algunos elementos de composición muy importantes. La perspectiva es la representación de los objetos en tres dimensiones—alto, ancho, profundidad—sobre una superficie plana. El pintor tiene que tomar en cuenta su alejamiento y su posición en el espacio con respecto a la del observador.

El tema o motivo de una obra de arte es el principal elemento de interés para el observador. Es la materia que pinta el artista. El estilo es el modo o expresión del artista. El estilo puede clasificarse en términos básicos en figurativo y abstracto. A las obras de arte que enfatizan la importancia de los elementos y principios de diseño a favor de asunto o de la materia se les llama obras de arte abstracto. Una obra figurativa presenta una rendición más literal, o sea, más realista de la materia.

El escultor crea objetos o formas bellas en tres dimensiones o en relieve. Puede servirse de varios materiales como barro, yeso, madera, piedra o bronce. Unas esculturas, las de piedra o madera, por ejemplo, pueden ser talladas con cincel. Otras, de materiales blandos como el yeso, barro o bronce fundido pueden ser modeladas sobre un esqueleto o armadura. La cocción y la fundición en un horno son dos procesos que prolongan la duración de (hacen más duraderas) las esculturas.

Un relieve es cualquier cosa que resalta sobre una superficie plana. Una escultura de relieve es una escultura hecha sobre una superficie de modo que las figuras están talladas solamente en parte. Bajorrelieve significa que la figura tallada es menos de la mitad del bulto natural de la figura. Y altorrelieve significa que es más de la mitad del bulto de la figura. Se ven muchas esculturas de relieve en las catedrales, iglesias y otros edificios monumentales.

B Busca la palabra cuya definición sigue.

1. el que pinta _____

2. dos instrumentos que utiliza el artista para aplicar colores al lienzo

_____

3. el soporte en que descansa el lienzo mientras pinta el artista _____

4. pintura que se hace con colores diluidos en agua _____

5. pintura a base de aceites _____

6. la representación de objetos en tres dimensiones sobre una superficie plana

_____

7. una parte de una figura menos de la mitad del bulto natural _____

8. el modo de expresión de un artista _____

9. la materia que pinta el artista _____

10. forma u objeto bello tallado o modelado en tres dimensiones _____

11. algunos instrumentos que usa un escultor _____

12. algunos instrumentos que usa un pintor _____

C En un párrafo corto, explica en tus propias palabras la diferencia entre un cuadro figurativo y un cuadro abstracto.

_____

_____

_____

_____

D En tus propias palabras explica en español o en inglés lo que es la composición de un cuadro.

_____

_____

_____

E En inglés explica lo que es el relieve.

_____

_____

_____

Tarea

Task You are an art critic for your school's Spanish language cable show. You have decided to present and critique the three versions of *Las Meninas* painted by Diego de Velázquez, Francisco de Goya, and Pablo Picasso.

How Look up the three versions of *Las Meninas* on the Internet. After reviewing the three versions of the painting, prepare a commentary using visual aids to compare and contrast the three works.

- Be sure to include a brief description of each artist's style, usage of color and form, and the year when each work was painted.

- Explain your own personal preferences for one or all of the pieces.

- You may also wish to include a commentary of one other work by each artist, painted in the same style used for their version of *Las Meninas*.

- Use a diagram to help you organize your commentary. See the two suggestions, but feel free to create your own.

Diagram 1

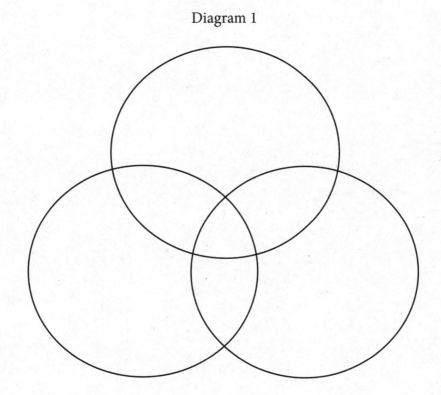

Diagram 2

Las Meninas de Goya	*Las Meninas* de Picasso	*Las Meninas* de Velázquez

WORKBOOK

Arte y literatura

Vocabulario ①

Actividad A Listen and repeat.

Actividad B Listen and choose.

	correcta	incorrecta
1.	☐	☐
2.	☐	☐
3.	☐	☐
4.	☐	☐
5.	☐	☐
6.	☐	☐

Actividad C Listen and choose.

	pintor	escultor
1.	☐	☐
2.	☐	☐
3.	☐	☐
4.	☐	☐
5.	☐	☐

Actividad D Listen and choose.

	sí	no
1.	☐	☐
2.	☐	☐
3.	☐	☐
4.	☐	☐
5.	☐	☐
6.	☐	☐

Vocabulario ❷

Actividad E Listen and repeat.

Actividad F Listen and answer.

Actividad G Listen and choose.

1. a b c
2. a b c
3. a b c
4. a b c
5. a b c
6. a b c

Gramática

Actividad A Listen, look, and speak.
1. ellos / no / venir
2. tú / hablar / así
3. él / no / llegar
4. tú / terminar

Actividad B Listen and answer.

Actividad C Listen, look, and speak.
1. ellos / no / venir
2. tú / hablar / así
3. él / no / llegar
4. tú / terminar
5. ser / posible
6. nosotros / tener éxito

Actividad D Listen, look, and speak.
1. yo / tener tiempo
2. no costar demasiado
3. ellos / venir

Actividad E Listen, look, and speak.

    1. yo / verlos

    2. tú / decírmelo

    3. ellos / ir

Actividad F Listen and speak.

Actividad G Listen and speak.

Actividad H Listen and answer.

Conversación

Actividad A Listen.

Actividad B Listen and choose.

	sí	no
1.	☐	☐
2.	☐	☐
3.	☐	☐
4.	☐	☐
5.	☐	☐
6.	☐	☐

Lectura cultural

Actividad A Listen.

Actividad B Listen and choose.

el precepto

muralla

la realidad

reinaban

el estado

intentaban

rotos

la dictadura

Actividad C Listen and draw.

Actividad D Listen and repeat.

Literatura

Actividad A Listen.

Integración

¡A escuchar más!

Actividad A Listen.

Actividad B Listen, look, and write.

what the professor considers the special gifts of this poet

_____

_____

_____

information about the death of García Lorca

_____

_____

the name of at least two of García Lorca's works mentioned by the author

_____

_____

_____

_____

Repaso cumulativo

	buenos modales	malos modales
1.	☐	☐
2.	☐	☐
3.	☐	☐
4.	☐	☐
5.	☐	☐

CAPÍTULO

8

Latinos en Estados Unidos

CAPÍTULO 8

Latinos en Estados Unidos

Vocabulario

A Escoge la palabra apropiada del banco de palabras. Se puede usar una palabra más de una vez.

titulares	publicidad	emisoras	medios de comunicación	de bolsillo
revistas	periódicos	biblioteca	periodistas	ancla

1. Hay muchas _____ de televisión que emiten todos tipos de programas.

2. El _____ que da las noticias en el canal cinco es muy popular.

3. Se venden _____ y _____ en el quiosco.

4. Los periódicos llevan _____ para introducir muchos artículos.

   A veces los _____ están en letras mayúsculas.

5. Los _____ escriben para un periódico.

6. Se venden los libros _____ en una librería.

7. La _____ es un aspecto importante del marketing. La

   _____ introduce nuevos productos al mercado con el intento de convencerle al público de comprarlos.

8. La televisión y la prensa son _____.

B Da la palabra cuya definición sigue.

1. una empresa dedicada a la televisión o la radiofusión _____

2. el que da o anuncia las noticias en un canal de televisión _____

3. dos cosas que se venden en un quiosco o en una librería

   _____

4. lo que son la radio, la televisión, la prensa _____

5. divulgación de anuncios comerciales para atraer a posibles compradores o usuarios de un servicio o bien (producto) _____

C Completa con una palabra apropiada.

1. ¿Por qué no le das una _____ al artículo antes de leerlo?

2. Los _____ luchan durante una _____.

3. La gente _____ tiene bastante dinero.

4. Le han _____ el Premio al ancla.

D Da una palabra relacionada.

1. emitir _____

2. el periódico _____

3. el público _____

4. la inversión _____

5. cómodo _____

6. ojear _____

E Usa cada expresión en una frase original.

1. lograr

_____

2. apoderarse de

_____

3. tomar en cuenta

_____

4. darse cuenta de

_____

Gramática

El subjuntivo con **aunque**

A Completa. Nota que la información en la primera frase es absoluta y definida.

1. Está lloviendo pero no importa. Ellos van a salir aunque _____.

2. Él está muy enfermo; su condición es grave. Todos sabemos que él se va a mejorar aunque _____ muy enfermo.

3. Hace mucho frío. Vamos a esquiar aunque _____ mucho frío.

4. Yo sé que él no tiene bastante dinero. No importa; él va a hacer el viaje aunque no _____ bastante dinero.

5. No hay mucho tráfico. Ellos van a llegar tarde aunque no _____ mucho tráfico.

6. Ellos saben lo que va a pasar. Ellos lo van a hacer aunque _____ lo que va a pasar.

B Completa basada en la información en la primera frase.

1. Está pronosticando que va a llover pero no importa. Ellos van a salir aunque

   _____.

2. Él está muy enfermo pero no sabemos si su condición es grave. Todos esperamos que él se mejore aunque su condición _____ muy grave.

3. Es posible que haga mucho frío mañana. Vamos a esquiar aunque

   _____ mucho frío.

4. Él nunca tiene mucho dinero. Pero yo lo conozco y va a hacer el viaje aunque no

   _____ bastante dinero.

5. He oído que no hay mucho tráfico pero no importa si hay o no. Ellos van a llegar tarde aunque no _____ mucho tráfico.

6. Ellos no tienen ninguna idea de lo que va a pasar. Pero no importa. Ellos lo van a hacer aunque no _____ lo que va a pasar.

C Escribe cinco frases originales con **aunque.**

1. _____
2. _____
3. _____
4. _____
5. _____

El subjuntivo con -quiera

A Completa con el verbo **ser**.

No importa quienquiera que _____, comoquiera que _____,

cuandoquiera que _____ ni dondequiera que _____; no puede tener éxito

con sus planes actuales.

B Completa con el verbo indicado.

1. Adondequiera que tú _____ estarás contento. (ir)

2. Cuandoquiera que ellos _____ estaremos aquí. (venir)

3. Cualquiera que _____ la razón del problema lo tienen
   que resolver. (ser)

4. Quienquiera que te _____ tal cosa no sabe de lo que está
   hablando. (decir)

5. Comoquiera que (ellos) lo _____ de resolver, seguirá el conflicto.
   (tratar)

Usos especiales del artículo definido

A Completa con el artículo definido cuando necesario.

1. _____ leche y _____ legumbres son una parte importante de una
   buena dieta.

2. _____ televisión sigue siendo un medio de comunicación importante.

3. _____ antropología es el estudio de la antigüedad.

4. _____ biología y _____ química son ciencias.

5. _____ álgebra y _____ geometría son matemáticas.

6. No hay nada como _____ amor maternal.

7. _____ señora Ureña es periodista.

B Contesta.

1. ¿Cuáles son los días de la semana?

_____

2. ¿Cuál es el primer día de la semana?

_____

3. ¿Qué días trabajas o tienes clases?

_____

4. ¿Qué vas a hacer el viernes?

_____

5. ¿Cuál es tu estación favorita?

_____

6. Necesito un kilo de tomates. ¿A cuánto están los tomates hoy?

_____

7. Quiero una docena de huevos. ¿A cuánto están los huevos?

_____

Uso especial del artículo indefinido

A Completa con un artículo definido o indefinido cuando necesario.

—Buenos días, _____ Señora García.
         1

—Buenos días, _____ Señor Romano.
         2

—¿Está _____ licenciado Mariscal por favor?
       3

—No, no está. Volverá _____ jueves.
                   4

—¿Dónde está?

—Está en Madrid. Está trabajando con _____ abogado Burgos. Es _____ abogado muy
                                   5   6

conocido y _____ licenciado Mariscal está negociando un contracto con él. Lo tienen
          7

que tener firmado para _____ jueves.
                      8

Integración

¡A leer más!

 Lee la siguiente información biográfica sobre un mexicanoamericano famoso.

Una figura mexicanoamericana: César Chávez

César Chávez nació en 1927 en Yuma, Arizona, en una familia de campesinos. César recibió el nombre de su querido abuelo. Al perder su tierra la familia Chávez se trasladó a California donde el joven César recogía algodón, vegetales y uvas cuando podía encontrar trabajo. Dice Chávez que recuerda haber asistido a sesenta y cinco escuelas elementales en un solo año escolar—a veces por solamente un día.

Durante la Segunda Guerra mundial Chávez sirvió en la Marina. Al salir de la Marina se estableció de nuevo en California con su esposa, Helen Fabela. Cuando tenía solo veinticinco años César empezó a organizar y a ayudar a «su gente» a mejorar las lamentables condiciones laborales que habían aceptado durante generaciones. A principios de los años 60 Chávez fundó el primer sindicato para obreros migratorios. Este sindicato se fusionó más tarde con otro para formar la primera gran organización de campesinos. César incitó a los campesinos mexicanoamericanos a inscribirse para votar e inauguró una huelga contra las grandes empresas vinícolas. La huelga atrajo mucha atención nacional y ayudó a informar a la nación de las grandes injusticias que enfrentaban los campesinos mexicanoamericanos. Informó también a la nación de las pésimas condiciones en que vivían durante décadas. En su lucha llamada «La Causa», Chávez se aprovechó de algunas tácticas del movimiento de derechos civiles tales como marchas y protestas o manifestaciones pacíficas incluyendo un ayuno de veinticinco días. Pero los cultivadores de uvas no sucumbieron. Por el fin el modesto pero carismático y determinado Chávez les rogó a todos los americanos a boicotear las empresas cultivadoras de uvas en California. Más de diecisiete millones de habitantes oyeron su petición y apoyaron a La Causa rehusando comprar uvas de California. El boicoteo duró cinco años. Las empresas perdieron millones de dólares y por fin el 30 de julio de 1970 los cultivadores de uvas de California accedieron a firmar un contrato que por primera vez otorgó algunos derechos a los recogedores de uvas y les concedió un pequeño aumento de sueldo. Fue el primero de muchos boicoteos exitosos organizados por Chávez para ayudar a mejorar la vida de todos los obreros agrícolas.

Chávez fue un hombre sencillo de una espiritualidad profunda. Era vegetariano. Sus símbolos fueron la virgen de Guadalupe, la santa patrona de México y un águila azteca negra en un paisaje norteamericano. Su causa enfrentó muchas dificultades y obstáculos pero Chávez no dejó la lucha. Él será para siempre no solo el líder de los campesinos mexicanoamericanos sino de todos los campesinos. Chávez murió tranquilamente en su sueño a los sesenta y seis años en Yuma, no muy lejos de la casita de adobe donde había nacido. Había en su cara una sonrisa y en la mano un libro de artesanía del sudoeste. La muerte de Chávez suscitó elogios de líderes nacionales e internacionales. Robert F. Kennedy describió a este humilde campesino mexicanoamericano con su ideal de justicia e igualdad para todos como *one of the heroic figures of our time.* ¡Que descanse en paz y que todos sigamos realizando su sueño!

B Escribe unos datos sobre la niñez de César Chávez.

_____

_____

_____

_____

_____

C Describe las acciones de «La Causa» y los resultados de estas acciones.

_____

_____

_____

_____

D Da unos datos personales sobre César Chávez.

_____

_____

_____

_____

E Busca las palabras en el artículo y adivina su significado según el contexto.

1. se trasladó a _____

2. sindicato _____

3. una huelga _____

4. pésimas _____

5. apoyaron _____

Tarea

Introduction You have been chosen to work as a summer intern at a Community Service Center in a major United States city. One of your assignments is to develop a Spanish language guide for visitors and new community members that highlights cultural and entertainment opportunities in the city.

Task Design and write a Spanish language brochure with a map that details the various locations of interest in the community where you will be interning.

How

- Choose the city in which your internship will take place. Research the community to learn about cultural and entertainment opportunities it offers.

- Find or create a map of this community and identify locations of interest. Include at least six locations in your brochure.

- Write brief descriptions of these locations to be used in the guide, including entrance fees, distance from other locations of interest, proximity to medical facilities, etc.

- Create your brochure, including a map and descriptions of all of your researched locations.

Latinos en Estados Unidos

Vocabulario

Actividad A Listen and repeat.

Actividad B Listen.

Actividad C Listen and choose.

	sí	no
1.	☐	☐
2.	☐	☐
3.	☐	☐
4.	☐	☐
5.	☐	☐

Actividad D Listen and choose.

	sí	no
1.	☐	☐
2.	☐	☐
3.	☐	☐
4.	☐	☐

Actividad E Listen and choose.

	sí	no
1.	☐	☐
2.	☐	☐
3.	☐	☐
4.	☐	☐
5.	☐	☐
6.	☐	☐
7.	☐	☐
8.	☐	☐
9.	☐	☐
10.	☐	☐

Gramática

Actividad A Listen and choose.

	cierto	posible
1.	☐	☐
2.	☐	☐
3.	☐	☐
4.	☐	☐
5.	☐	☐

Actividad B Listen and answer.

Actividad C Listen and answer.

Actividad D Listen and answer.

Actividad E Look and speak.

1. señora Gómez
2. señorita Torres
3. licenciado Centeno
4. señor Ríos

Actividad F Look and speak.

1. señor López / poeta
2. doctor Valdés / médico
3. señorita Molina / artista
4. señora Castro / bióloga

Conversación

Actividad A Listen.

Actividad B Listen and choose.

	sí	no
1.	☐	☐
2.	☐	☐
3.	☐	☐
4.	☐	☐
5.	☐	☐
6.	☐	☐
7.	☐	☐

Lectura cultural

Actividad A Listen.

Actividad B Listen and write.

1. ¿Cuándo llegaron a Estados Unidos los españoles? ¿Por qué vinieron?

   _____

   _____

2. ¿Dónde nacieron muchos mexicanoamericanos?

   _____

   _____

3. ¿Cuándo vinieron muchos inmigrantes mexicanos a Estados Unidos?

   _____

   _____

4. Los cubanoamericanos vinieron en dos épocas diferentes. ¿Cuáles? Y, ¿por qué vinieron?

   _____

   _____

   _____

5. In English, explain the relationship between Puerto Rico and the United States and how it came to be.

_____

_____

_____

_____

Literatura

Actividad A Listen.

Integración

¡A escuchar más!

Actividad A Listen.

Actividad B Listen and write.

1. ¿Qué género de música era menos reconocido entre la comunidad latina?

   a. la salsa

   b. el jazz latino

   c. el tambor

2. ¿Qué aprendió a tocar el joven Rafael en Nueva York?

   a. la conga y el bongó

   b. la guitarra

   c. la marimba y el contrabajo

3. Explica en inglés lo que pasó tocando estos instrumentos y por qué.

_____

_____

4. Explica en español por qué decidió volver a Puerto Rico.

_____

_____

5. ¿Qué hizo en Puerto Rico?

_____

_____

6. Explica en español las oportunidades que Rafael tuvo cuando regresó a Puerto Rico.

_____

_____

7. Contesta en inglés. ¿Qué está haciendo Rafael hoy día?

_____

_____

8. Explica en español lo que hay cada año en honor de Rafael.

_____

_____

9. Según lo que oíste compara la vida de Rafael en Nueva York y en Puerto Rico.

_____

_____

Repaso cumulativo

Actividad A Listen and choose.

	pasado	presente	futuro
1.	☐	☐	☐
2.	☐	☐	☐
3.	☐	☐	☐
4.	☐	☐	☐
5.	☐	☐	☐
6.	☐	☐	☐
7.	☐	☐	☐
8.	☐	☐	☐
9.	☐	☐	☐
10.	☐	☐	☐

Historia de la comida latina

CAPÍTULO 9

Historia de la comida latina

Vocabulario

A Completa cada palabra con la letra que falta para deletrearla bien.

1. la _____ana_____oria

2. la man_____ana

3. la ma_____orca de maí_____

4. la u_____a

5. la _____id

6. el _____uerto

7. la _____oja

8. la _____arina

9. las _____ortalizas

10. el repo_____o

11. el pan ra_____ado

12. la o_____a

13. re_____eno

14. el picadi_____o

15. la beren_____ena

16. la roda_____a

B Identifica.

1. un vegetal de color de naranja _____

2. tres legumbres verdes _____

   _____

3. un vegetal que viene en muchos colores _____

4. otra palabra para «vainitas» _____

5. una fruta de color violeta _____

G Escribe una frase original con cada una de las expresiones.

1. la viña

_____

2. el pan rallado y el huevo batido

_____

3. rebozar

_____

4. elaborar

_____

5. rellenar

_____

6. los comensales

_____

Gramática

La voz pasiva

A Escoge.

1. (Se vende, Se venden) leche en la lechería.
2. (Se vende, Se venden) quesos en la lechería también.
3. (Se vende, Se venden) huevos en la lechería.
4. (Se vende, Se venden) cordero, carne de res y cerdo en la carnicería.
5. (Se vende, Se venden) legumbres en la verdulería.
6. (Se vende, Se venden) fruta en la frutería.

B Contesta.

1. ¿Dónde se asa el pollo?

_____

2. ¿En qué se fríe el pollo?

_____

3. ¿Se rellenan los pimientos de carne picada?

_____

4. ¿Se rellenan también de queso?

_____

5. ¿Es posible que se frían, se revuelvan y se hiervan los huevos?

_____

6. ¿Se lavan bien las hojas de lechuga antes de usarlas?

_____

7. ¿Se pelan los tomates?

_____

8. ¿Se pica el ajo?

_____

C Contesta.

1. ¿Dónde se usa mucho aceite?

_____

2. ¿Dónde se come mucho pescado?

_____

3. ¿Dónde se come mucho bife?

_____

4. ¿Dónde se cría mucho ganado?

_____

5. ¿Dónde se crecen las uvas?

_____

D Escribe la frase en la voz pasiva según el modelo.

MODELO   **El incendio destruyó la casa. →**
                 La casa fue destruida por el incendio.

1. Los árabes conquistaron España en 711.

_____

2. Los franceses invadieron España en 1808.

_____

3. Los españoles expulsaron a los judíos y a los moros en 1492.

_____

4. Hernán Cortés conquistó a los aztecas.

_____

5. Cristóbal Colón emprendió el viaje.

_____

6. Los Reyes Católicos apoyaron a Colón.

_____

E Escribe una pregunta y contéstala usando cada una de las expresiones.

    1. se habla

_____

_____

    2. se dice

_____

_____

    3. se escriben

_____

_____

F Escribe a lo menos cuatro titulares usando la voz pasiva.

    1. _____

    2. _____

    3. _____

    4. _____

Los pronombres relativos

A Escribe frases según el modelo.

    MODELO   **habla / el presidente →**
                El que habla es el presidente.

    1. sirven / los meseros

_____

    2. elabora la comida / el cocinero

_____

    3. comen / los comensales

_____

    4. se levanta / la dueña

_____

    5. trabaja en la caja / la dueña

_____

    6. salen ahora / los clientes

_____

B Cambia cada verbo de la Actividad A al pretérito. Escribe las frases de nuevo haciendo todos los cambios necesarios.

1. _____

2. _____

3. _____

4. _____

5. _____

6. _____

Expresiones de tiempo con **hace** y **hacía**

A Completa con **hace** o **hacía**.

1. _____ mucho tiempo que él trabaja como cocinero.

2. _____ mucho tiempo que tenían el mismo menú cuando decidieron cambiarlo.

3. La verdad es que _____ años que tienen los mismos clientes.

4. _____ muchos años que servían los mismos meseros pero ahora algunos se han retirado (jubilado).

B Contesta con algo que se conforma con tu vida.

1. Hace poco tiempo que _____.

2. Hace unos dos años que _____.

3. Hace a lo menos cinco años que _____.

4. Hace mucho tiempo que _____.

Integración

¡A leer más!

 Lee el siguiente artículo.

Refrescantes y sabrosas ensaladas

Son una perfecta opción para el calor del verano.

En esta época del año, además del vestuario, muchos se dan a la tarea de modificar también sus hábitos alimenticios.

Muchos recurren a un plato de fácil y rápida preparación, en el que el sabor depende de la imaginación de quien lo prepare: las ensaladas.

Las ensaladas son el plato ideal para las épocas de calor. Saludables y deliciosas, existen tantas variedades como ideas culinarias, siendo posible preparar una ensalada distinta cada día.

Al exponer nuestros cuerpos a las altas temperaturas, estos nos piden alimentos que nos ayuden a saciar, además del hambre, la sed. Las hortalizas, base de las ensaladas, debido a su altísima proporción de agua, nos hidratan en profundidad.

Sanas y buenas para el organismo, son muy nutritivas, aportan multitud de vitaminas por su base vegetal y favorecen la digestión.

Los vegetales crudos son además alimentos bajos en calorías, siempre recomendados en régimen de adelgazamiento y básicos en la dieta mediterránea.

Simple preparación   Pero las ensaladas no sólo se preparan con vegetales; conseguirás un resultado sabroso y exquisito si añades jamón y queso, frutas como la manzana y la piña, mariscos o frutos secos, como los piñones y las nueces.

Si queremos que el verde predomine en nuestras ensaladas podemos recurrir a la lechuga o a las nutritivas espinacas, al brócoli, o los berros, entre otros vegetales.

La dificultad de este plato no es muy elevada, sólo es necesario un poco de entusiasmo y creatividad. Las ensaladas admiten prácticamente cualquier alimento sobre una base de tomate, lechuga, pasta, legumbres o arroz.

El toque de sabor lo ponen los condimentos. El aliño es lo que aporta ese sabor especial y definitivo a la ensalada. Sal, aceite de oliva, vinagre, de manzana o vino, o zumo de limón, pero también salsas a base de queso o mermelada.

Algunas ideas   Ligeras o más contundentes, debemos olvidarnos de reglas fijas, porque hoy las ensaladas pueden ser incluso hasta tropicales, añadiéndoles frutas como la piña o plátano frito o exóticas enriqueciéndolas con especias griegas como el queso feta.

Es posible preparar día a día una variedad de ensaladas, poniendo en juego la imaginación.

Para la ensalada caprichosa, por ejemplo, sobre una base de lechuga se colocan unas rodajitas de tomate y finas tiras de jamón serrano, y sobre esto unos panecillos con queso de cabra derretido encima.

La ensalada a la italiana se prepara con una base de pasta y tomate. El resto de ingredientes pueden ser trozos de pollo frito, jamón y queso y langostinos.

La ensalada campera, preparada con patatas y huevos cocidos, tomate, cebolla y atún, es muy jugosa y nutritiva. La ensalada de tomate con bacalao con un poco de cebolla y aliñada con aceite y sal es muy sabrosa y de fácil preparación.

Finalmente, la ensalada no tiene por qué ser salada, prueba a darle un aliño dulce. Una composición deliciosa consiste en preparar una base de lechugas colocando sobre estas trozos de queso de cabra y una salsa de mermelada de fresa o frambuesa mezclada con un poco de aceite para licuada.

B Contesta.

1. ¿Cuál es un ejemplo de un plato de fácil y rápida preparación?

_____

_____

2. ¿Cuáles son algunas características de una ensalada?

_____

_____

3. ¿Qué dice el artículo de la dieta mediterránea?

_____

_____

C Busca el equivalente en español.

1. refreshing _____

2. tasty _____

3. healthy _____

4. touch of flavor _____

5. feta cheese _____

6. goat cheese _____

7. juicy _____

D Explica lo que dice el artículo sobre la comida y la temperatura.

_____

_____

_____

_____

E Prepara una lista de ingredientes que se puede añadir a una ensalada.

_____

_____

_____

_____

_____

F Parea (¡sin usar diccionario!).

1. _____ adelgazamiento   **a.** nuts

2. _____ piñones   **b.** thinning, slimming

3. _____ nueces   **c.** watercress

4. _____ los berros   **d.** pineapple

5. _____ la piña   **e.** pine nuts

6. _____ el aliño   **f.** dressing, seasoning

G Escribe frases originales con cada una de las siguientes palabras.

1. unas rodajitas

_____

2. unas tiras

_____

3. trozos

_____

H Parea las palabras emparentadas.

1. _____ delgado   **a.** el toque

2. _____ sabor   **b.** licuar

3. _____ crear   **c.** adelgazar

4. _____ tocar   **d.** campera

5. _____ rico   **e.** sabroso

6. _____ campo   **f.** enriquecer

7. _____ líquido   **g.** creatividad

Tarea

Introduction Below is a copy of the food guide pyramid. It represents the recommended food intake per day and serves as a guide that can help you eat a healthy diet. The pyramid calls for eating a variety of foods to get the nutrients you need and at the same time the right amount of calories to maintain a healthy weight. Of course, each community, ethnic group, culture, family, and individual eats differently but everyone should try to eat in a balanced and healthy manner.

Task After keeping a list of the foods that you eat for five days, you will write an analysis of your diet and note some ways in which you could improve your eating habits.

How

- Keep a careful list of all the foods you eat for five days.
- Use the diagram below to chart the foods you eat.
- Compare your food intake with the recommended daily allowances indicated on the food pyramid.
- Make a list of ways to improve your eating habits, noting what you should eat more of and what you should eat less of.
- Write a short essay in which you summarize and analyze your diet.

Mi dieta	lunes	martes	miércoles	jueves	viernes
desayuno					
almuerzo					
cena					

_____

_____

_____

_____

_____

_____

_____

_____

_____

_____

_____

_____

Historia de la comida latina

Vocabulario

Actividad A Listen and repeat.

Actividad B Look, listen, and choose.

1. _____ **a.** la zanahoria
2. _____ **b.** el huerto
3. _____ **c.** la viña
4. _____ **d.** el pimiento
5. _____ **e.** la especia
6. _____ **f.** los comensales
7. _____ **g.** la lechuga
8. _____ **h.** el cordero

Actividad C Listen and choose.

	sí	no
1.	☐	☐
2.	☐	☐
3.	☐	☐
4.	☐	☐
5.	☐	☐
6.	☐	☐
7.	☐	☐
8.	☐	☐

Gramática

Actividad A Listen and answer.

Actividad B Listen and answer.

Actividad C Listen and choose.

	activa	pasiva
1.	☐	☐
2.	☐	☐
3.	☐	☐
4.	☐	☐
5.	☐	☐
6.	☐	☐

Actividad D Listen and speak.

Actividad E Listen and speak.

Actividad F Listen and answer.

Conversación

Actividad A Listen.

Actividad B Listen, look, and write.

1. el número de amigos que hablan

   _____

2. la ascendencia de Joe

   _____

3. lo que se usa mucho en la comida de la familia de Joe

   _____

4. la ascendencia de la familia de Teresa

   _____

5. lo que se usa mucho en la comida de la familia de Teresa

   _____

6. el origen de estas dos productos

_____

7. algo interesante sobre las papas en las regiones andinas

_____

Lectura cultural

Actividad A Listen.

Actividad B Listen, look, and write.

1. lo que es un taco de carne

_____

_____

2. la historia del tomate

_____

_____

_____

3. el origen y la historia de la palabra «salario»

_____

_____

Literatura

Actividad A Listen.

Repaso cumulativo

Actividad A Listen and choose.

	arte	literatura
1.	☐	☐
2.	☐	☐
3.	☐	☐
4.	☐	☐
5.	☐	☐
6.	☐	☐
7.	☐	☐
8.	☐	☐
9.	☐	☐
10.	☐	☐

Carreras

Nombre _____ Fecha _____

Carreras

Vocabulario

A Pon las palabras en la categoría apropiada.

Para ejercer la mayoría de las profesiones es necesario tener un título universitario.
Para ejercer un oficio es necesario tener una formación técnica.

	oficio	profesión
1. plomero	☐	☐
2. abogado	☐	☐
3. profesor	☐	☐
4. albañil	☐	☐
5. contable	☐	☐
6. carpintero	☐	☐
7. ingeniero	☐	☐
8. electricista	☐	☐

B Escoge.

1. El (abogado, licenciado) trabaja en las cortes.
2. El (alcalde, albañil) es político.
3. Los (funcionarios, comerciantes) trabajan para una empresa.
4. Los (funcionarios, comerciantes) trabajan para el gobierno.
5. El (electricista, plomero) repara la tubería que lleva agua.
6. El (albañil, carpintero) hace cosas de piedras, ladrillos, cemento, arena y otros materiales.
7. El (albañil, carpintero) hace cosas de madera.

C Completa con una palabra apropiada.

1. Los comerciantes se llaman también _____.
2. Los _____ en el periódico informan de puestos vacantes.
3. Los contables preparan _____ para individuos y para empresas.
4. Trabajar cuarenta horas por semana es trabajar _____.

WORKBOOK
Copyright © by The McGraw-Hill Companies, Inc.

Capítulo 10 **10.3**

5. Las grandes empresas tienen el servicio de _____
donde entrevistan a los que están buscando un puesto con la empresa.

6. El _____ diseña maquinaria y el

_____ diseña edificios.

D Da otra palabra.

1. el fontanero _____

2. los hombres de negocios _____

3. de gobierno _____

4. el departamento de personal _____

5. una aplicación de empleo _____

6. una profesión _____

7. el candidato _____

E Describe la diferencia.

1. un ingeniero y un arquitecto

_____

2. un albañil y un carpintero

_____

_____

3. un oficio y una profesión

_____

_____

4. un electricista y un plomero

_____

_____

5. un político y un funcionario

_____

_____

6. trabajar a tiempo parcial o a tiempo completo

_____

_____

F Describe todo lo que tiene que hacer una persona en busca de trabajo.

_____

_____

_____

_____

_____

G Usa cada palabra en una frase original.

   1. comerciar

_____

   2. comercial

_____

   3. el/la comerciante

_____

   4. vender

_____

   5. la venta

_____

   6. el/la vendedor(a)

_____

Gramática

Por y para

A Completa con **por** o **para**.

1. Ellos salen hoy _____ Medellín.

2. Yo no pude ir, así que Carlota fue _____ mí.

3. Ellos querían dar un paseo _____ el Retiro.

4. Yo compré los regalos _____ Luisa pero son _____ Teresa. Luisa se los va a dar.

5. Los niños corrieron _____ todas partes.

6. Estoy aquí _____ estudiar, no _____ divertirme.

7. _____ cubano, habla muy bien el inglés.

8. ¿Me puede decir cuándo sale el tren _____ Córdoba?

9. Si él no lo puede hacer, ¿lo puedes hacer _____ él?

10. Ellos estuvieron en las montañas _____ dos semanas, o sea, quince días.

11. _____ inglés, Keith habla muy bien el español.

12. Él me dio un euro _____ el dólar.

13. Ella quiere ir; yo también estoy _____ ir.

14. _____ un joven, viaja mucho.

15. Esta bolsa es _____ mi madre.

16. No tengo mucha confianza en el correo. ¿Por qué no lo mandamos _____ correo electrónico?

17. El héroe luchó y murió _____ su patria.

18. Ellos tienen que terminar el trabajo _____ la semana que viene.

19. Ellos estarán aquí _____ Navidad o Año Nuevo.

20. _____ el día veinte y cinco tienen que estar en Alemania.

B Escribe de nuevo con **por** o **para.**

1. Papá no podía asistir así que yo fui *en lugar de* él.

_____

2. Los chicos están corriendo *en* la calle.

_____

3. Voy a la tienda *en busca de* frutas y legumbres.

_____

4. Mis padres lo pagaron *en vez de* mí.

_____

5. Subimos el tren *con destino a* Balboa.

_____

6. *A pesar de que es* rico, no es generoso.

_____

7. La ciudad fue destruida *a causa de* la guerra.

_____

8. Me gusta mucho viajar *en* Perú. Es un país muy interesante.

_____

9. Estaremos en Barcelona *durante* siete días.

_____

10. Este es el avión *con destino a* Santiago.

El subjuntivo en cláusulas relativas

A Escoge.

1. No hay persona que (habla, hable) mejor que él.

2. Quiero un trabajo que me (interesa, interese).

3. Yo tengo mucha suerte. Estoy trabajando en un puesto que me (interesa, interese) mucho.

4. No hay nadie que (sabe, sepa) más que él.

5. Están buscando aspirantes que (dominen, dominan) el español.

6. Yo he entrevistado a muchos candidatos que (dominan, dominen) el español.

B Completa con la forma apropiada del verbo.

1. Necesitamos hacer algo que nos _____ bien. (pagar)

2. Josefina tiene un puesto que _____ muy interesante. (ser)

3. Yo conozco a una joven que _____ todos los requisitos necesarios para el puesto. (tener)

4. Quieren un empleo que les _____ tener a lo menos dos días libres a la semana. (permitir)

Integración

¡A leer más!

 A Lee el siguiente anuncio que apareció en un periódico de Costa Rica.

EMPRESA DE SERVICIOS FINANCIEROS

contrará

Supervisores de ventas

Requisitos:

- Ambos sexos
- Bachiller en Administración de Empresas
- Vehículo en buen estado (indispensable)
- Experiencia mínima de cinco años en ventas, principalmente en venta de productos financieros
- Experiencia en supervisión de vendedores
- Conocimientos amplios de inglés
- Manejo de paquetes de cómputo
- Poseer buen trato y relaciones humanas
- Acostumbrado a trabajar por objetivos

Beneficios:

- Salario base
- Comisiones en dólares
- Capacitación local e internacional
- Paquete de beneficios adicionales

Interesados enviar resumen del currículum vitae al apartado postal 1029–2050, San Pedro. El apartado no pertence a la empresa.

 B Contesta según la información en el anuncio.

1. ¿Es solo para hombres o para hombres y mujeres el puesto?

_____

2. ¿Es necesario tener carro para este puesto?

3. ¿Cuántos años de experiencia exigen?

_____

4. ¿Cuáles son algunos requisitos?

_____

_____

_____

5. ¿Qué información deben mandar los candidatos?

_____

C Indica como se expresan las siguientes ideas en el anuncio.

1. compañía de servicios financieros

_____

2. señores y señoras

_____

3. hay que saber el inglés

_____

4. título universitario

_____

5. es necesario tener carro

_____

6. hay que saber comportarse bien con otros

_____

D Busca la expresión equivalente en español.

1. extensive knowledge _____

2. base salary _____

3. handling of software _____

4. goal-oriented _____

5. good manners _____

6. additional benefits package _____

7. national and international training (qualifications) _____

E Busca todas las palabras aparentadas en el anuncio.

_____

_____

Tarea

Task You are going to do a job search on the Internet to identify job fields and specific jobs where foreign languages are required or desirable. You will find that there are many interesting positions where knowledge of a foreign language plays an important role. You will also discover many work opportunities for those who master a foreign language with or without a university degree. After doing your research, you will create an informative poster representing the position that most interests you.

How To find the information that you will need to complete this activity, you can use any job information Web site.

- Go to the Web site and look at its list of companies and job opportunities.
- Find a company that appeals to you and select it, bringing up a career page. Choose the careers in that company that interest you.
- Choose a specific job category and then choose a specific job from this list where knowledge of a foreign language is required or would be an advantage.
- Use the chart below or create your own diagram to organize your information.

SEARCH INFORMATION

1. Name of company	
2. E-mail address	
3. Description of company, including examples of its products or services	
4. Location of branches (inside and outside the U.S.)	
5. Location of the job you're interested in	
6. Skills required for the job	
7. Education requirements (degrees, years/type of schooling, etc.)	
8. Salary/benefits	
9. Why is knowledge of a foreign language required or an advantage?	

Create a poster for the job you have researched. Include the information from the chart. Use illustrations in addition to text to present your information. Use this page to make a rough draft of your poster.

CAPÍTULO 10

Carreras

Vocabulario

Actividad A Listen and repeat.

Actividad B Listen and choose.

_____ los médicos   _____ los contables

_____ los arquitectos   _____ los funcionarios

_____ los comerciantes   _____ los farmacéuticos

_____ los carpinteros   _____ los alcaldes

_____ los ejecutivos   _____ los dentistas

Actividad C Listen and choose.

1. a b c
2. a b c
3. a b c
4. a b c
5. a b c
6. a b c

Actividad D Listen and choose.

1. a b
2. a b
3. a b
4. a b
5. a b
6. a b
7. a b
8. a b

Actividad E Listen and answer.

Actividad F Listen and answer.

Gramática

Actividad A Listen and answer.

Actividad B Listen and answer.

Actividad C Listen and speak.

Conversación

Actividad A Listen.

Actividad B Listen and choose.

	sí	no
1.	☐	☐
2.	☐	☐
3.	☐	☐
4.	☐	☐
5.	☐	☐
6.	☐	☐
7.	☐	☐
8.	☐	☐
9.	☐	☐

Lectura cultural

Actividad A Listen.

Actividad B Listen and choose.

	sí	no
1.	☐	☐
2.	☐	☐
3.	☐	☐
4.	☐	☐
5.	☐	☐

Literatura

Actividad A Listen.

Integración

¡A escuchar más!

Actividad A Listen.

Actividad B Listen and choose.

	sí	no
1.	☐	☐
2.	☐	☐
3.	☐	☐
4.	☐	☐
5.	☐	☐
6.	☐	☐

Actividad C Listen.

Actividad D Look, listen, and write.

1. lo que es el mercado

   _____

   _____

2. ejemplos de un producto

   _____

3. ejemplos de un servicio

   _____

4. lo que es el marketing

   _____

   _____

5. unas responsabilidades del departamento de marketing

   _____

6. la diferencia entre lo que la gente *necesita* y lo que la gente *quiere*

   _____

   _____

Repaso cumulativo

Actividad A Listen and choose.

	en el pasado	en el presente	en el futuro
1.	☐	☐	☐
2.	☐	☐	☐
3.	☐	☐	☐
4.	☐	☐	☐
5.	☐	☐	☐
6.	☐	☐	☐
7.	☐	☐	☐
8.	☐	☐	☐